CUCA CANALS

CUCA CANALS

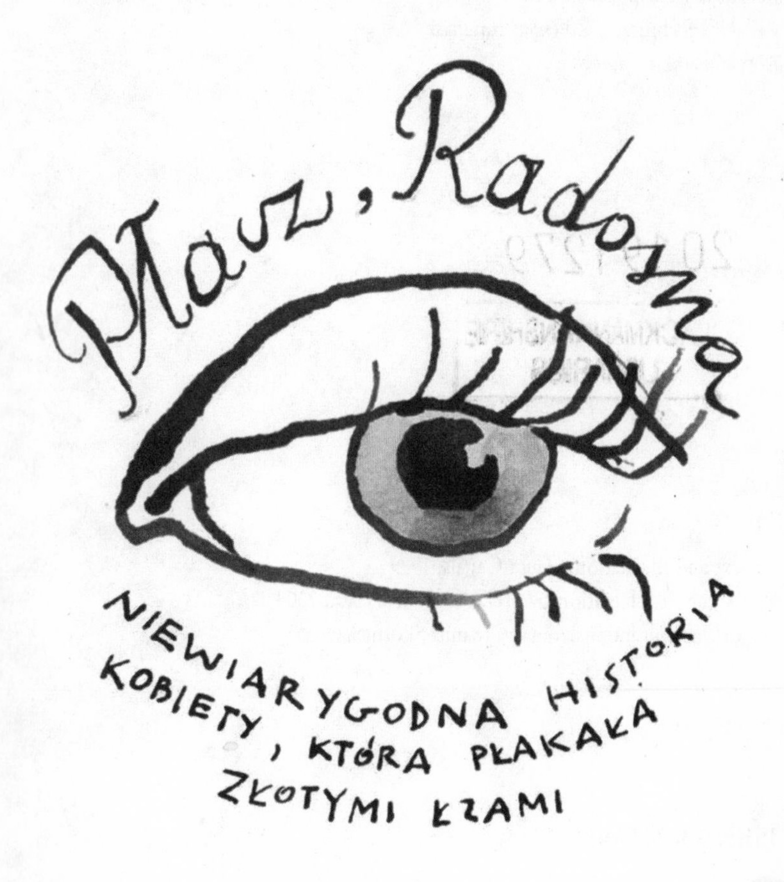

przełożyła
Joanna Skórnicka

Warszawskie Wydawnictwo Literackie
MUZA SA

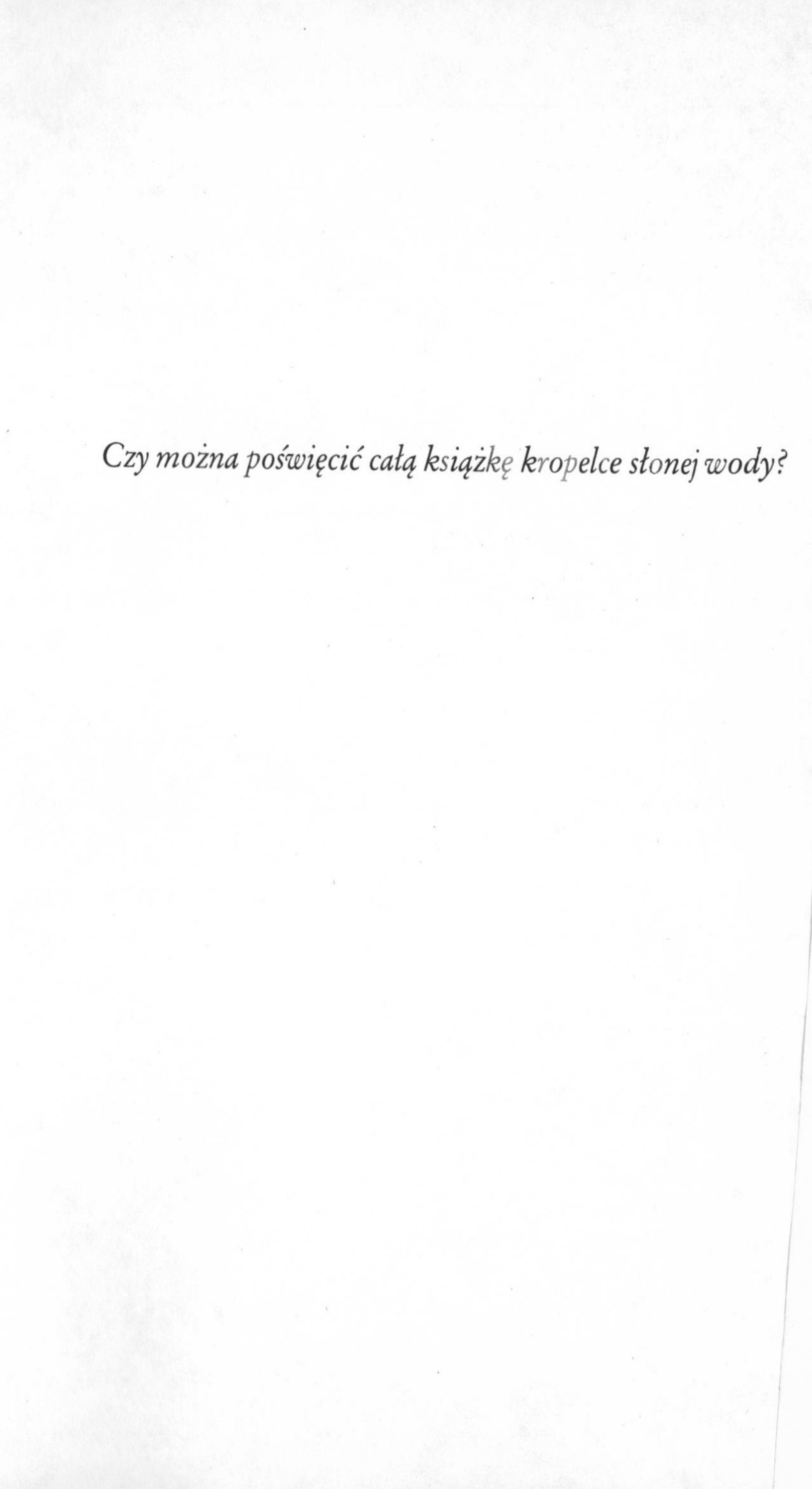

Czy można poświęcić całą książkę kropelce słonej wody?

Część pierwsza

Łzy z drewna

Podczas owego porodu wszyscy płakali, wyjąwszy tę, która miała po temu najwięcej powodów: nowo narodzoną. Świat, który na nią czekał, nie przypominał bynajmniej drogi usłanej różami. W rzeczy samej upłynie jeszcze sporo czasu, zanim dziecko będzie mogło cokolwiek zeń zobaczyć, gdyż po ostatnich powodziach dom, w którym miało mieszkać, został odcięty od reszty świata.

Matka maleństwa, Manuela, płakała nie tylko z powodu skurczów, lecz także dlatego, że czuła się bardzo nieszczęśliwa. W ostatnich tygodniach ciąży towarzyszami jej były straszna samotność, nieludzkie zimno i głód – spiżarnia wyglądała równie żałośnie jak ona sama. Miała tak silne bóle, że nie była w stanie pójść do wioski, by poprosić o pomoc. Mieszkała prawie kilometr od Nostalgii, a nie mogła nawet dowlec się do drzwi domu. Szczęściem matka Manueli, Anastazja, przyszła odwiedzić córkę, nie po to, by się dowiedzieć o jej samopoczucie, tylko dlatego, że pożyczyła jej dziesięć reali i już był najwyższy czas, by Manuela je zwróciła. Dotarła do domu córki, przeklinając wszystkich swych przodków: droga przypominała raczej rzekę i trzewiki Anastazji były całe zabłocone. Znalazła Manuelę leżącą na ziemi, kompletnie wyczerpaną, na poły nieprzytomną, a co najgorsze ze wszystkiego, drącą się wniebogłosy. Podeszła do niej i powiedziała:

– Nie drzyjże się tak, nie jestem głucha.

Manuela błagała rwącym się głosem:

– Mamusiu, zawołaj akuszera.

– W porządku, ale oddaj mi pieniądze.

Manuela zemdlała i przez chwilę Anastazja nie wiedziała, co robić. Musiała stwierdzić, że z jej córką naprawdę jest kiepsko, bo poszła wezwać lekarza, nie odebrawszy długu.

Teraz Anastazja także płakała, patrząc na nowo narodzoną: co za nieszczęście, znowu dziewczynka; mówiła to ze znajomością rzeczy – pośród jej siedemnaściorga dzieci było piętnaście kobiet. Tak samo wnuczki – same dziewuchy. A do tego wszystkiego miała jeszcze zapłacić lekarzowi za każdą minutę. Popłakiwała również suka imieniem Ewarysta, gdyż przez wzgląd na poród wygnano ją z domu. Nic w końcu dziwnego, zważywszy, że dom był maleńkim sześcianem służącym za kuchnię, jadalnię i sypialnię zarazem. Panował w nim taki bałagan i tyle było kurzu, że lekarz, młodzieniec, który pochodził z miasta, zaczął kichać; musiał być uczulony, bo z jego oczu płynęły łzy.

Pojękiwał nawet dach domku, bo właśnie zaczęło padać i krople deszczu uderzały weń, nieuchronne i rytmiczne, jak gdyby dopasowywały się do rytmu skurczów rodzącej. Nie licząc dębowego Ukrzyżowanego, królującego na ścianie, On bowiem płakał nieustannie; z Jego oczu płynęło pięć łez czerwonej barwy, wyrzeźbionych z drewna.

Jako że nowo narodzona dziewuszka nie płakała, z początku pomyśleli, że jest wadliwa albo martwa. Lekarz nie wiedział, co robić, zatem Anastazja, która, wydawszy na świat siedemnaścioro dzieci, bez wątpienia miała większe od niego doświadczenie, wyrwała mu niemowlę i zaczęła je okładać po buzi, żeby zobaczyć, czy zareaguje. Młody lekarz patrzył na nią z rozdziawioną gębą, ale nie odważył się odezwać. Czuł wielki strach przed tą kobietą, która przyszła do niego, zmusiła, by przerwał badanie, mimo że akurat zajmował się bliskim śmierci pacjentem, i zażądała, by czym prędzej wyciągnął dziecko z matczynego brzucha, bo ona tego samego dnia musi jeszcze wydoić krowy. Nie dała mu nawet umyć rąk przed przystąpieniem do pracy. Należy jednak przyznać, że dzięki metodzie zastosowanej przez Anastazję dowiedzieli się, że nowo narodzona dziewczynka żyje, gdyż zobaczyli, jak porusza kończynami i wydaje słabiutki krzyk. Względem tego, czy jest wadliwa, mieli poważne wątpliwości, nigdy dotąd nie widzieli bowiem dziecka, które nie płakałoby wcale przy urodzeniu.

Na domiar wszystkiego, gdy poród dobiegał dopiero połowy, skończyła się woda i lekarz musiał obmyć niemowlę gazowaną wodą mineralną z jedynej butelki, jaka znajdowała się w domu. Gdy dziewczynka poczuła chłód płynu, cała zsiniała; patrzyli na nią uważnie, pewni, że w tym momencie zapłacze. Zamiast tego, czując łaskotanie bąbelków, zaczęła się śmiać. Młody medyk nic nie mógł zrozumieć, nigdy dotąd nie słyszał o dziecku, które nic, tylko się uśmiecha, i teraz dopiero pojął, dlaczego mówią, że najlepszym uniwersytetem jest samo życie. Anastazja położyła dziecko przy matce i przeżegnała się piętnaście razy.

– Jesteś do niczego, to dziecko nie jest normalne.

Popatrzyła na lekarza.

– Dziś jest trzynasty, prawda?

Uniosła ręce do głowy. Była strasznie przesądna i obawiała się liczby trzynaście.

– Już wiem, dlaczego nie jest normalna. Powinnaś ją była urodzić jakiegokolwiek innego dnia, nieszczęśnico. Muszę już iść, ale przyjdę względem tego, co to mi jesteś winna. – Zerknęła na swe ubłocone buty. – I będziesz mi musiała odkupić trzewiki, bo przez ciebie się zniszczyły.

Anastazja powiedziała doktorowi, że już może sobie iść. Lekarz nie ośmielił się poprosić o pieniądze za odebranie porodu. Wręcz przeciwnie, chętnie byłby zapłacił, żeby tylko móc się wydostać z tego piekła. Anastazja patrzyła z uśmiechem, jak młodzieniec się oddala. Przynajmniej ominęło ją wypłacanie mu honorarium.

Informacja dnia.

Manuela była jedyną, która sądziła, że wie, dlaczego jej córka nie płakała ani tego dnia, ani w pierwszych latach dzieciństwa. Ona sama tak wiele łez wylała podczas ciąży, że zdawało jej się, że ukradła małej wszystkie łzy. O zmierzchu ucałowała ją z czułością, choć co prawda nie mogła jej zobaczyć przed nadejściem świtu, gdyż z powodu nieuiszczonych opłat dom pozbawiony został elektryczności. Kiedy w końcu zobaczyła swą córeczkę, wydała jej się naprawdę śliczna. Pogłaskała ją po buzi, a mała nagrodziła ją tak promiennym uśmiechem, że postanowiła dać jej imię Radosna. Poczuła się bardzo dumna, że urodziła tak piękną istotkę. Może to dziecko ofiaruje jej wreszcie coś, czego dotąd życie jej poskąpiło: odrobinę radości. I przysięgła na swych przodków, że jej córka nigdy nie będzie tak nieszczęśliwa jak ona. Uczyni wszystko, co w jej mocy, aby tak właśnie było. Ucałowała ją raz i drugi, wspominając, jak niewiele czułości ona sama zaznała od Anastazji. Przypomniała sobie, z jakim lodowatym chłodem i brutalnością traktowała ją matka. I w ciągu tego jednego ranka Manuela ofiarowała swej córce więcej całusów, niż sama otrzymała przez całe dzieciństwo.

Co się zaś tyczy ojca maleństwa, Romancjusza Cierpliwego, nikt się nie dowie, czy płakał w momencie porodu, czy też nie, znajdował się bowiem o wiele kilometrów od Nostalgii. Często musiał wyjeżdżać, gdyż wymagało tego jego zajęcie: podróżował po całym kraju, sprzedając sztuczne szczęki. Choć wedle wszelkiego prawdopodobieństwa nie powinien płakać. Nie uronił ani jednej łzy, kiedy umarła jego matka, a tym bardziej w chwili śmierci ojca. A jedynym, za co Romancjusz mógł być wdzięczny swemu rodzicielowi, było to, że w dniu jego pogrzebu przyszedł mu do głowy pomysł interesu, polegającego na sprzedaży sztucznych szczęk. Kiedy kładli ojca do drewnianej trumny, byli tak pochłonięci zdejmowaniem z jego palca ślubnej obrączki, że zapomnieli mu włożyć sztuczną szczękę. Brat nieboszczyka, gdy się o tym dowiedział, poprosił Romancjusza, żeby mu ją dał w prezencie, bo właśnie stracił ostatnie zęby. Ten naturalnie odmówił i powiedział, że jeśli chce ją mieć, musi zapłacić piętnaście reali. Brat zmarłego protestował, ale na nic mu się nie zdało opowiadanie, że chciał mieć pamiątkę po nieboszczyku; w końcu musiał zapłacić wspomnianą sumę. Ta transakcja sprawiła, że Romancjusz Cierpliwy ujrzał przed sobą promyk nadziei. Do tej chwili zarabiał na życie, sprzedając środki czystości, a zyski z tego miał zaiste mizerne. Pomyślał, że sprzedawanie sztucznych szczęk to świetny interes, zważywszy, że w małych miejscowościach nie ma dentystów, nie mówiąc już o tym, że ich ceny są coraz mniej dostępne dla biedaków. Zamieścił w lokalnym dzienniku anons, w którym informował, że kupuje sztuczne szczęki zmarłych. Został dosłownie zalany odpowiedziami, nie tylko krewnych nieboszczyków, ale również osób żyjących, które w obliczu skrajnej nędzy ofiarowywały mu je bez wahania. Co prawda sztuczne zęby sprzedawane przez niego z rzadka jedynie pasowały do ust klientów, lecz, jak słusznie mawiał Romancjusz, z kamienia złota nie wydusisz, a za taką cenę nie można żądać więcej.

Pieszcząc maleńką Radosną, Manuela pomyślała, że zajęcie jej męża doprawdy jest obrzydliwe. Lecz on sam jeszcze bardziej. Nienawidziła go, zanim jeszcze została jego żoną; mając zaledwie siedemnaście lat, musiała go poślubić, gdyż tak zdecydowała jej matka. Romancjusz miał wówczas trzydzieści pięć lat; był mężczyzną o tak złym charakterze, że nie sposób było znaleźć mu żony. Postanowił się ożenić, bo właśnie umarła mu matka, a on nie umiał gotować. I kto mu teraz będzie smażył krokiety z mięsa. Oznajmił sklepikarce, że potrzebuje żony, nie wspominając nawet, że zamierza za nią zapłacić, wiedział bowiem dobrze, że gdy to powie, w ciągu jednego dnia wszyscy sąsiedzi i sąsiadki dowiedzą się o jego zamiarach. Tak się też stało. Kiedy usłyszała o tym Anastazja, postanowiła zaoferować mu swą córkę za bardzo dobrą cenę, sto reali. Od kiedy owdowiała, jej największym pragnieniem było wydać córki za mąż. Ponadto Manuela nie nadawała się w ogóle do pracy w polu, jej dłonie były nazbyt delikatne, a wrzaski nie do wytrzymania. A za sto reali Anastazja potrafiłaby sprzedać własną duszę diabłu.

Manuela i Romancjusz Cierpliwy raz tylko widzieli się przed ślubem. Spotkanie miało miejsce w Nostalgii, w domu matki dziewczyny. Pomimo usilnych starań Anastazji Manuela otwarła usta jedynie po to, aby wypić łyk likieru, który matka podała z tej okazji. Anastazja pragnęła uczcić utratę córki bardziej niż wzbogacenie się o syna – oznaczało to dla niej jedną gębę mniej do wykarmienia. Romancjusza interesowały jedynie dwie rzeczy związane z Manuelą: czy jest zdrowa i czy potrafi robić krokiety z mięsa. Aby się przekonać, czy jest zdrowa, zbliżył się do niej i próbował siłą otworzyć jej usta, zupełnie jakby była koniem. Ona jednak stawiała opór – nawet kopniakami nie zmusiliby jej do rozchylenia warg. Całe szczęście, że wtrąciła się w to Anastazja: we dwoje zdołali Manuelę poskromić. Romancjusz mógł wreszcie stwierdzić, w jakim stanie jest jej uzębienie. Z wyjątkiem jednego brakującego zęba szczęka Manueli przedstawiała się doskonale, a w dodatku ów ząb zastąpiono złotym. W rzeczywistości złoty ząb należał do Anastazji, lecz od kiedy jej wypadł, trzymała go w ukryciu – za żadne skarby świata nie chciała zapłacić dwudziestu pięciu reali, których żądał dentysta za ponowne wstawienie. Parę godzin przed spotkaniem przyszłych małżonków matka, wiedząc, że Romancjusz będzie przywiązywał wielką wagę do uzębienia narzeczonej, z pomocą kowala osadziła złoty ząb w ustach Manueli. I rzekła do niej:

– To będzie ślubny prezent ode mnie.

Kiedy Romancjusz odszedł, Anastazja spoliczkowała córkę za niewłaściwe zachowanie podczas spotkania, a następnie pokazała jej, jak ma robić krokiety. Przyszła panna młoda, przygotowując beszamelową masę, szlochała jak potępiona; nie chciała wyjść za mężczyznę, którego nie kochała.

– Miłość to jakaś bzdura. Jedyne, co ważne w tym zasranym życiu, to pieniądze.

Manuela upierała się, że chce być szczęśliwa. Anastazja zaczynała już mieć dosyć jej biadolenia.

– Nie gadaj głupstw, szczęście to nie zdychać z głodu. Nic więcej.

Matka okazała stanowczość; zanim zmusiła córkę do zamilknięcia na dobre, oznajmiła:

– Zrobisz, jak ci każę, i przestań już płakać, bo nie ma o co. W końcu wszyscy mężczyźni są tacy sami.

Manuela była trzecią kandydatką na żonę, jaką przedstawiono Romancjuszowi Cierpliwemu. Dwie poprzednie to było istne nieszczęście: pierwsza nie miała nawet po co przechodzić próby z krokietami. Skończyła zaledwie szesnaście lat, a już jej brakowało czterech zębów, a poza tym była jeszcze jej matka, której najwyraźniej brakowało piątej klepki: chciała sprzedać córkę za dwieście reali, i dodatkowo otrzymać dwie krowy. Druga kandydatka uzębienie miała w porządku, a i jej matka wydawała się w miarę normalna, lecz przygotowały dla Romancjusza krokiety jakby prosto z piekła rodem; naprawdę rzygać się na sam ich widok chciało, nawet suka Ewarysta ich nie tknęła. Było oczywiste, że zrobione zostały z zepsutego mięsa. Tak to wyraził Romancjusz, zwracając się do matki, która broniła się, twierdząc, że dzięki temu nabrały smaku. Potem zjadła krokiety, które oddał jej niedoszły zięć, oblizując się i dowodząc tym sposobem, że jest jednak mniej normalna, niż mu się wydawało.

Po pierwszym spotkaniu z Romancjuszem Anastazja w imieniu córki przesłała mu tuzin krokietów. Poleciła swemu synowi, Filipowi, by je zaniósł. Choć do celu dotarła tylko połowa, to i tak Bogu dzięki: cztery zjadł Filip – w ten sposób sam sobie wynagrodził pracę, jaką go obarczyła matka – a dwa upuścił gdzieś po drodze. Musiały być niezmiernie apetyczne, bo skoro tylko Romancjusz ich skosztował, od razu wiedział, że oto spotkał kobietę swego życia. Pobrali się w kościele w Nostalgii, jak Pan Bóg przykazał. Choć w tym przypadku tą, która naprawdę przykazała, była Anastazja. Tydzień przed ślubem pojawiła się na plebanii i podała ojcu Romulusowi dzień i godzinę, o której miał połączyć węzłem małżeńskim Manuelę i jej narzeczonego. Na ślubnej ceremonii ze strony panny młodej obecne były jedynie Anastazja i dwie spośród jej córek, a ze strony pana młodego sklepikarka, która nadal czekała na pieniądze obiecane jej przez Romancjusza za pomoc w znalezieniu małżonki. Manuela ubrana w ślubny strój, ale nie w śnieżną biel, bynajmniej nie promieniała szczęściem; nie przestawała szlochać, a suknia, którą dała jej matka, była zżółkła i pognieciona – ta sama, w której brały ślub Anastazja i wszystkie jej już zamężne córki, a jak ci się nie podoba, to się ugryź. Ojciec Romulus był ociupinkę przygłuchy i choć Manuela nigdy nie powiedziała „tak, chcę", on tak to zrozumiał. Ponadto cierpiał na nietrzymanie moczu i chciał czym prędzej połączyć młodych małżeńskim węzłem, kiedyś już bowiem musiał przerwać ceremonię, by pofolgować swym potrzebom, niekoniecznie duchowym. Dlatego właśnie uznał zaślubiny za dokonane, zanim pan młody zdążył wypowiedzieć „tak". Anastazja Bogu dziękowała, że uroczystość była tak krótka, bolały ją nogi, nienawidziła kazań, a musiała przecież jeszcze wydoić krowy. Również Romancjusz Cierpliwy radował się w duchu, bo myślał tylko o tym, jak się będzie pieprzył ze swą małżonką. Po wyjściu z kościoła Inez Maria, jedna z sióstr Manueli, chciała obrzucić nowożeńców odrobiną ryżu, lecz nie mogła tego uczynić. Anastazja spoliczkowała córkę, jak śmiesz marnotrawić ryż, a zanim udała się do domu, kazała Manueli nazajutrz oddać suknię, w końcu zostały jej jeszcze trzy córki na wydaniu.

Romancjusz Cierpliwy wniósł Manuelę do domu na rękach, nie dla zachowania tradycji, nic z tych rzeczy, tylko dlatego, że dziewczyna broniła się ze wszystkich sił, tak strasznie nie chciała z nim żyć. Położył ją na łóżku, rzucił się na nią i zerżnął brutalnie, jak zwierzę, a w dodatku suka Ewarysta, bardzo zazdrosna z powodu przybycia intruza, raz i drugi próbowała ją pogryźć. Manuela szlochała, nie mogła w żaden sposób pojąć, jak coś takiego można nazwać kochaniem się. Gdy skończył, Romancjusz beknął donośnie. Następnie kazał Manueli przygotować wieczerzę dla niego i dla suki. Dla męża zrobiła krokiety z mięsa, a dla suki przygotowała kości z rosołu i trochę ryżu. Kiedy małżonek skończył jeść, znów mu się odbiło. Rżnąć żonę było po prostu cudownie, a krokiety naprawdę były apetyczne. Po jedzeniu i rżnięciu zawsze mu się odbijało, a kiedy to czynił tak donośnie jak tego wieczoru, oznaczało to, że jest w pełni usatysfakcjonowany. Manuela przeciwnie – czuła się najnieszczęśliwszą kobietą na świecie. Całą noc wylewała gorzkie łzy, a jakby nie dość było jeszcze cierpienia, dostała pierwsze lanie od męża.

– Nie dajesz mi spać. Albo przestaniesz płakać, albo będziesz spała na dworze.

Wystarczyły dwa uderzenia, by małżonkę uciszyć. Romancjusz uśmiechnął się. Była bardziej uległa, niż sobie wyobrażał. Manuela musiała czynić nadludzkie wysiłki, żeby mąż jej nie usłyszał, szlochała w duszy i przysięgła na swych przodków, że nie będzie spała z tym facetem już nigdy w życiu. Nazajutrz poszła porozmawiać z matką – chciała ją zawiadomić, że nie jest w stanie żyć z tym skurwysynem. Powiedziała również, że dostała od niego lanie, i zaczęła płakać tak gwałtownie i rozpaczliwie, że Anastazja dla uciszenia córki musiała jej wymierzyć siarczysty policzek.

– Nie drzyjże się tak, nie jestem głucha. I bądź uprzejma oddać mi ślubną suknię.

Wykopała ją dosłownie z domu i Manuela nie miała innego wyjścia, jak wrócić do męża. Po drodze spotkała Romancjusza, który wyszedł jej szukać.

– Co ty tutaj robisz? Powinnaś właśnie przygotowywać mi kolację.

Wróciła do domu ze spuszczoną głową, a tam suka Ewarysta powitała ją warczeniem. Chciała ugryźć Manuelę, więc ta, we własnej obronie, odsunęła ją, popychając nogą. Romancjusz wpadł w furię:

– Jak śmiesz kopać nieszczęsną psinę?

I aby udzielić swej małżonce lekcji, zafundował jej dwa policzki. Potem ucałował sukę w pyszczek. Manuela popatrzyła na nich ze wstrętem i zrozpaczona zamknęła się w wygódce; nie minęła nawet doba od chwili, gdy została mężatką.

Życie małżeńskie Manueli było doprawdy jedną wielką torturą. Całkiem jakby poślubiła zwierzę zamiast człowieka. Kiedy Romancjusz Cierpliwy przychodził do domu i był łaskaw się przywitać, zwracał się najpierw do Ewarysty, potem dopiero do żony. Romancjusz od dziecka cierpiał na migreny, ale przede wszystkim na chroniczne muchy w nosie. Wciąż narzekał, chyba że, jak już zostało wyjaśnione, zjadł właśnie przed chwilą dobry obiad i odbył stosunek. I na nieszczęście Manueli nigdy nie było mu dosyć. Przed zawarciem małżeństwa Romancjusz pieprzył się jedynie z ulicznicami, a jeśli nie czynił tego częściej, to tylko dlatego, że niemało sobie liczyły. Teraz, kiedy był żonaty, pieprzenie wychodziło mu gratis. Romancjusz musiał nadrobić stracony czas, zatem każdej nocy kładł Manuelę na wznak na łóżku, opuszczał spodnie i układał się na niej. Zaczynał poruszać się gwałtownie, krzycząc w podnieceniu:

– Suka, suka!

Choć mówiąc „suka", Romancjusz miał na myśli swą małżonkę, ona nigdy tego nie zrozumiała w taki sposób. Całe szczęście, bo tylko tego by jeszcze brakowało nieszczęsnej Manueli. Sądziła, że mąż woła sukę, która podchodziła do swego pana, szczekając i machając wesoło ogonem, jakby naśladowała rytm ruchów Romancjusza. Dlatego Manuela nie tylko musiała znosić swego męża, ale jeszcze i sukę, która słysząc coraz donośniejsze wrzaski pana właziła na łóżko, by się przyłączyć do zabawy i móc go polizać.

Nawet w tych szczęśliwych chwilach Romancjusz nie miał dla żony dobrego słowa, wciąż porównywał ją z suką; naturalnie przegrywała Manuela, bo, jak mówił, suka Ewarysta była czulsza, bardziej uległa, nigdy mu się nie sprzeciwiała, a ponadto nie darła się jak ona. Porównania rzeczywiście są zdradliwe, zwłaszcza gdy mąż porównuje żonę do suki. Aby wzbudzić zazdrość w sercu Manueli, Romancjusz Cierpliwy brał w ramiona sukę Ewarystę, pieścił jej sutki i całował w pyszczek. Manuela patrzyła ze wstrętem, jak splatały się ich języki. Jakież to życie jest obrzydliwe. W rzeczy samej Romancjusz darzył suczkę wyjątkowym afektem; dotrzymywała mu wiernie towarzystwa, zanim się ożenił. Nabył ją po śmierci matki, jeden z klientów mu ją podarował w zamian za obniżkę ceny sztucznej szczęki. Dał jej imię, jakie nosiła jego matka: Ewarysta. Któregoś dnia ktoś mu powiedział, że wydaje mu się w bardzo złym guście, by matka i suka nosiły to samo imię, na co Romancjusz odparł:

– W końcu wszystkie kobiety to suki.

Manuela, podobnie jak suka, nauczyła się być posłuszna, godzić się na wszystko, co wymyśli Romancjusz. Jednak nawet i wówczas jakikolwiek pretekst był dobry, by ją zbesztać, tak mało ważna była dla męża. Jedyne chwile spokoju miała wtedy, gdy jej małżonek szedł do pracy. Nieobecność Romancjusza nie przypadała za to do gustu Ewaryście, gdyż za każdym razem, gdy tylko szczeknęła, dostawała kopniaka od Manueli, cóż za ulga, przynajmniej na suce mogła się zemścić. Wyrzuciwszy ją z domu, siadała naprzeciwko Chrystusa roniącego pięć drewnianych łez – jej żywot także jest drogą krzyżową – i zadawała sobie raz po raz pytanie, czemu jest aż tak nieszczęśliwa.

Po roku małżeńskiego życia Manuela przygotowała szczegółowy plan ucieczki. Pojedzie do miasta, gdzie mieszka jej starsza siostra, i tam rozpocznie nowe życie. Nie będzie ono łatwe, ale z pewnością nie gorsze od tego, jakie wiodła do tej pory. Lecz nie mogła tego uczynić. W dniu, w którym zamierzała uciec, straciła przytomność: była w ciąży. Kiedy powiedziała o tym Romancjuszowi, wcale go to nie poruszyło:

– Jeśli to będzie dziewczynka, sram na wszystko.

Manuela płakała jak potępiona: ciąża oznaczała, że nigdy nie wyzwoli się od Romancjusza Cierpliwego. Na szczęście przyszły ojciec nigdy się nie dowiedział o planowanej ucieczce swej małżonki – gdyby wiedział, Bóg jeden wie, co by się mogło zdarzyć. W swej gwałtowności za nic miał jej stan błogosławiony. Tłukł ją nawet i wówczas; raz uczynił to dlatego, że nadepnęła na sukę, i na nic się zdały tłumaczenia, że zrobiła to niechcący; uderzył ją w twarz tak mocno, że zalała się krwią. Jakimś cudem złamały jej się tylko trzy zęby, lecz co za pech – połknęła akurat ten złoty. Romancjusz wściekł się jeszcze bardziej i Manuela została zbesztana za to, że go zjadła. Mąż zmusił ją do zwymiotowania wszystkiego, co miała w brzuchu, chcąc zobaczyć, czy jej żołądek zwróci mu złoty ząb.

W następnych dniach Manuela cierpiała na silne bóle żołądka i nie mogła nocami spać z niepokoju; bała się, że jej dziecko zostało uszkodzone. Naturalnie Romancjusz nigdy nie wstawił żonie zębów. Manuela zarobiła lanie za to, że uderzyła suczkę – kto mieczem wojuje, od miecza zginie.

A złoty ząb przepadł bez śladu.

Radosna spojrzała na rozgwieżdżone niebo i zapytała:
– Niebo płacze nade mną?
Właśnie zaczęło padać.

Romancjusz Cierpliwy pojawił się wreszcie w domu, dwa tygodnie po narodzinach córki, a humor miał pod psem. Kiedy ujrzał żonę, nawet się nie zorientował, że nie jest już w ciąży. Manuela musiała mu powiedzieć, że już urodziła.

– Mamy córkę.

Odpowiedział:

– Daj mi spokój.

Tego dnia Romancjusz cierpiał na straszliwą migrenę i nie chciał nic o niczym wiedzieć, jak to się niebawem okazało. Myślał tylko o tym, żeby położyć się spać i zażądał, by żona zamknęła okno. W tej właśnie chwili wydawało się, że dziecko zapłacze, ale w końcu jedynie zakwiliło. Romancjusz, wściekły, uderzył z całej siły w stół.

– Nie chcę, żeby ktokolwiek mi przeszkadzał.

Zdawkową pieszczotą przywitał sukę Ewarystę, wlazł do łóżka, zamknął oczy, a słysząc kwilenie Radosnej, która nie milkła, wpadł w bezbrzeżną wściekłość.

– Albo ją zabierzesz z tego domu, albo ją zabiję.

Matka ze łzami w oczach wzięła dziecko w ramiona i wyszła z domu. Tej nocy Manuela płakała, myśląc przede wszystkim o swej córce. Zaiste było dla dziewczynki prawdziwym nieszczęściem mieć takiego ojca jak Romancjusz. Spędziły noc na dworze; Manuela ucałowała córeczkę z największą czułością. Przynajmniej miały siebie nawzajem. Przypomniała sobie swą przysięgę. Jej córka nie będzie tak nieszczęśliwa jak ona. Pomimo takiego ojca.

Dopiero nazajutrz Romancjusz Cierpliwy raczył spojrzeć na Radosną, jednak nie obdarzył jej zbytnią uwagą, gdyż okazała się kobietą, a kobiety służą tylko do tego, by gotować. I oświadczył:

– Chcę, aby pierwszą rzeczą, jakiej ta dziewczynka się nauczy, było przygotowywanie krokietów z mięsa.

Mówił to całkiem poważnie, bo a nuż jego żonie coś się przytrafi, a jest wszak powszechnie znaną rzeczą, że śmierć nie uprzedza o swym przybyciu. I tak jak poprzysiągł uczynić, jeżeli Manuela urodzi dziewczynkę, Romancjusz nasrał na wszystko: na to całe życie, na wszystkich świętych, na ojczyznę, na rodzinę Anastazji i na tę matkę kurwę, co ich wszystkich urodziła. Podczas gdy Romancjusz srał na wszystko, smród odchodów wypełnił cały pokój. Dziewczynka, aby nie zostać w tyle, także się obsrała, z uśmiechem, obojętna na wszystko, co się działo dookoła.

Ale nie zapłakała.

W tym samym czasie, gdy przyszła na świat Radosna, cały kraj przechodził najtrudniejsze koleje w swej historii, co naturalnie miało wpływ na interes Romancjusza: udawało mu się sprzedać niespełna połowę tego, co poprzednio. Obarczał swą córeczkę winą za te wszystkie nieszczęścia:

– Zamiast przyjść na świat z bochenkiem chleba pod pachą, ta dziewucha mi go odebrała, suka nad sukami.

Nic nie pomogło, że teraz oferował klientom belgijski klej; osadzone na nim szczęki miały się dużo lepiej trzymać. Ludzie, zazwyczaj ubodzy, byli teraz biedniejsi niż kiedykolwiek i potrzebowali innych rzeczy bardziej niż sztucznych zębów. Romancjusz miał już dosyć wysłuchiwania w kółko tych samych pytań:

– Po cóż nam sztuczne zęby, jeśli nie mamy niczego do gryzienia?

Na buzi Radosnej, zbyt małej, by się przejmować problemami kraju, a tym bardziej szczękami ojca, gościł niemal nieustannie uśmiech, i to również doprowadzało Romancjusza do rozpaczy. Skończyła już cztery lata i nadal ni razu nie zapłakała, zgoła nie dlatego, żeby brakło po temu powodów, szczególnie kiedy jej ojciec był w domu. Nigdy nie widziano, by uroniła choćby jedną łezkę, nawet wtedy, gdy była chora, dostała lanie od Romancjusza lub się przewróciła. To, co z początku wydawało się korzystne, stało się prawdziwym kłopotem, gdyż zamiast płakać, darła się, a czyniła to tak samo przenikliwie jak jej matka. Babka Anastazja powtarzała:

– Ta dziewczynka odziedziczyła po tobie wszystko, co najgorsze. Ciebie musiałam ścierpieć, bo byłaś moją córką, ale ją niech znosi kto inny.

Także Romancjusz prawie wcale nie poświęcał uwagi swej córce, i w sumie lepiej, bo kiedy już to robił, to tylko żeby ją besztać lub bić.

– Sram na tę dziewuchę i na matkę, co ją urodziła.

Wściekał się, kiedy tylko ją ujrzał. Interesowało go jedynie, żeby nauczyła się przyrządzać krokiety z mięsa i żeby mu nie przeszkadzała, nie troszczył się zaś zbytnio o to, by się czegokolwiek o niej dowiedzieć. Nie znosił patrzeć, jak się bawi, i zabronił jej to robić. Nie pozwalał również, aby spała więcej niż sześć godzin – sądził, że dzięki temu będzie stale zmęczona i mniej mu będzie przeszkadzała. Radosna i Manuela musiały wstawać o szóstej rano i czekać przed domem do dziesiątej; o tej porze Romancjusz wstawał i życzył sobie śniadanko do łóżka. I patrzcie, jakie to wszystko dziwne: on, który był prawdziwym bydlęciem, śniadał jak jakiś pan. Radosnej pozostawiał Romancjusz maleńką porcję jedzenia; czasy nastały ciężkie i pierwsza w kolejności była jego rodzina: suka Ewarysta i żona.

– Dla małej pół krokieta będzie aż nadto.

Tak wyglądały jej posiłki. Naturalnie ojciec zabraniał Radosnej jeść słodycze, aby nie popsuła sobie zębów. Już uprzedził matkę i córkę, że jeśli tylko zobaczy, że jedzą coś słodkiego, nie da im sztucznych zębów, jeszcze by tego brakowało. Na Manueli owa groźba nie zrobiła żadnego wrażenia; już straciła trzy zęby i przywykła obywać się bez nich. Ojciec nie pozwalał też córce szczycić się obfitą grzywą wspaniałych włosów, jakie jej urosły, i nieraz niewiele brakowało, a byłby je obciął; mała musiała nosić włosy zaplecione w warkocz.

Szczęściem matka zawsze chroniła Radosną i żyły z siebie wypruwała, żeby tylko jej córka była szczęśliwa. Nauczyła ją bawić się na spłachetku nieurodzajnej ziemi w pobliżu domu, bo tam Romancjusz nie mógł jej zobaczyć; czego oczy nie widzą, tego sercu nie żal. Gotując, Manuela chowała odrobinę jedzenia, żeby dać je potem córeczce. A jeśli to było konieczne, oddawała jej całą swą porcję. Kiedy ojciec tłukł małą, Manuela jej broniła, choćby sama miała za to oberwać, a potem ją pocieszała, mówiła Radosnej, jak bardzo ją kocha. A skoro dziewczynka nie mogła mieć zabawek, Manuela własnoręcznie zrobiła dla niej dwie laleczki. Niestety bardzo szybko, gdy tylko Romancjusz je odkrył, opuściły ten padół. Jedną z nich pochłonęły płomienie pieca, drugą zaś pożarła suka, która przyjęła ją jako podarunek od swego pana. Radosna poczuła taką wściekłość, że poczerwieniała cała jak papryka, lecz nie mogła zapłakać i całe szczęście, że Manuela stale była przy niej, aby ją pocieszyć. I jak to dobrze, że dziewczynka miała tak bujną wyobraźnię: bawiła się z owadami i myszami, które znajdowała na polu. Nauczyła się je łapać ze zdumiewającą zręcznością. Nawet suka Ewarysta nie dawała żyć małej Radosnej. Podbiegała do zwierzątek, które mała złapała, i je pożerała. I znowu Radosna miała ochotę się rozpłakać.

Lecz nie płakała.

Za każdym razem, gdy Romancjusz zamierzał się kochać z Manuelą, wyrzucał córkę z domu. Nawet zimą, kiedy ziąb był naprawdę okrutny, kazał jej czekać na zewnątrz. Radosna, siedząc pod drzwiami, słyszała krzyki swej matki. I choć bardzo pragnęła zapłakać, nie mogła, i czuła ból, i podnosiła wrzask, szukając odrobiny ulgi. Myślała – i nie myliła się – że ojciec bije matkę. I słyszała, jak ojciec wrzeszczy:

– Suka, suka!

Podobnie jak Manuela, Radosna nigdy nie zrozumiała, że mówiąc „suka", Romancjusz miał na myśli jej matkę. I dzięki Bogu. Doprawdy tylko tego brakowałoby jeszcze do szczęścia biednej Radosnej. Z czasem pojęła, że kiedy ojcu zaczyna się odbijać, ona może wrócić do domu; patrzyła ze smutkiem, jak matka, z zapłakanymi wciąż oczyma, już przygotowuje wieczerzę. I choćby nawet była chora, i tak musiała wyjść z domu, i na nic się zdawały skargi Manueli, która dodatkowo obrywała za te protesty. Aby dać żonie nauczkę, gdy się skarżyła, Romancjusz rżnął ją dwa albo i trzy razy, a jeśli nie więcej, to jedynie dlatego, że męskości mu już nie stawało. Jeżeli zaś mała nie złapała nigdy zapalenia płuc, stało się tak z woli Boga, a także dzięki czterem kocom, które dawała jej Manuela jako okrycie. Tak jak Romancjusz zarządził, Radosna, zanim jeszcze zaczęła mówić, nauczyła się robić krokiety w groźnej obecności ojca. Stojąc na taborecie, wyrabiała mięso, jej rączki zaledwie były w stanie to czynić, a jej matka w tajmenicy przed mężem przygotowała wcześniej kilka krokietów na wypadek, gdyby córeczce nie wyszły zbyt dobre.

Kiedy tylko Radosna potrafiła uczynić użytek z rozumu, od razu zapragnęła się dowiedzieć, dlaczego nigdy nie płacze. Manuela nie wiedziała, co odpowiedzieć, i po paru sekundach namysłu oznajmiła:

– Bo masz na imię Radosna.

Dziewczynki nie usatysfakcjonowała zbytnio ta odpowiedź. Na zdrowy rozum, jeśli to miałaby być prawda, jej matka powinna nosić jakieś imię związane ze smutkiem: Bolesna, Strapiona czy też Maria Opuszczona. Choć Manuela próbowała ukryć łzy, było ich zbyt wiele, by mogło jej się to udać. Radosna zdawała sobie z tego wszystkiego sprawę i całowała matkę z wielką czułością.

– Chciałabym troszkę popłakać dla ciebie.

Manuela gładziła ją po włosach.

– Nie musisz płakać. Urodziłaś się, aby być tą, którą ja nie byłam: osobą szczęśliwą.

Radosną zaczęła ogarniać przemożna ciekawość wobec tego uczucia, którego nie znała. Chciała wiedzieć, co poczuje, kiedy zapłacze. I wyprawiała nieopisane rzeczy, aby to osiągnąć. Kłuła się w palec igłą, zrazu raczej nieśmiało, potem bez umiaru. Jednak ani krew, ani ból nie wycisnęły łez z jej oczu. Szczypała całe swe ciało, uderzała się o ścianę, wyrywała sobie włoski z przedramienia, godzinami trzymała cebulę przed oczyma. I nic. A ponieważ nie udawało się jej zapłakać przy użyciu metod fizycznych, jęła sobie wyobrażać najstraszliwsze rzeczy: że wpadła do studni i nikt nie słyszy jej rozpaczliwego wołania o pomoc, i w końcu tonie. Wyobraziła sobie, że Romancjusz wrzuca ją w ogień, tak samo jak niegdyś jej lalkę. Albo że sztuczne szczęki ojca ożyły i zagryzły ją na śmierć. Nie uroniła łzy nawet wtedy, gdy ujrzała w wyobraźni czuwanie po swej własnej śmierci lub też po zgonie matki. W żaden ludzki sposób nie mogła zapłakać. Być może jej matka miała rację. Jej przeznaczeniem miało być szczęście. Czasem podchodziła do Manueli i osuszała językiem jej łzy, pragnąc ich skosztować.

– Są słone.

Matka odpowiadała:

– Tak, są jak morze.

Córka patrzyła na nią ze zdumieniem, nic a nic nie wiedziała o świecie.

– A co to jest morze?

Manuela wytłumaczyła jej, a potem, by mogła sobie wyobrazić jego bezmiar, powiedziała Radosnej, że jest tak wielkie jak miliony wiader wody naraz. W rzeczywistości Manuela także nigdy nie widziała morza, lecz tyle o nim słyszała, że zdawało jej się, że je zna. Jej dziadek ze strony ojca był rybakiem, i tylko on jeden z całej rodziny nigdy jej nie uderzył, gdy była dzieckiem; stanowiło to aż nadto wystarczający powód, by Manuela go kochała. Godzinami rozmawiali o morzu i dziadek obiecał wnuczce, że pojadą razem, aby je obejrzeć, nie zdołał jednak wypełnić swej obietnicy, gdyż umarł. Teraz to Manuela obiecywała córce, że pojadą kiedyś razem nad morze. Radosna miała straszną ochotę je zobaczyć, ale przede wszystkim skosztować morskiej wody. Wydawało się jej fascynujące, że jest ona słona jak łzy. Zamyślając się głęboko, powtarzała:

– Czy to dlatego, że morze jest smutne?

A w deszczowe dni Radosna uwielbiała czuć na swym ciele wodę z nieba. Wyciągała ramiona na kształt krzyża i wznosiła głowę ku niebu. Krople wody zatrzymywały się na jej policzkach i spływały niczym łzy.

– Niebo płacze nade mną?

Manuela wzruszała ramionami. Teraz, gdy Radosna już więcej rozumiała, przez cały boży dzień zadawała jej pytania, na które matka często nie potrafiła odpowiedzieć.

Kiedy Romancjusz Cierpliwy wychodził do pracy, matka i córka spędzały dzień, bawiąc się, spacerując, jedząc słodycze bez opamiętania. Radosna mogła nosić rozpuszczone włosy, a Manuela je szczotkowała, podczas gdy rozmawiały o morzu pod czujnym spojrzeniem Chrystusa, roniącego pięć drewnianych łez; nawet On wydawał się wówczas szczęśliwszy. No i chodziły do Nostalgii, naturalnie bez wiedzy Romancjusza. Te wycieczki były jedyną formą kontaktu Radosnej ze światem zewnętrznym. Dlatego też, pomimo że Nostalgia była wioską smutną, ubogą i konającą, dziewczynkę fascynowało wszystko, co widziały jej oczy. Zarazem jednak bała się tego świata i nie oddalała się na krok od matki. Myślała, że jest on zaludniony mnóstwem Romancjuszów i Anastazji, i kiedy ktoś się do niej zbliżał, chwytała mocno matczyną dłoń.

Pewnego razu mogła obejrzeć występy rosyjskiego cyrku. Miała szczęście: trafiła na popisy magików. Aż rozdziawiła buzię, widząc, jak przy użyciu różdżki sprawiali, że pojawiały się i znikały króliki, monety, karty do gry. I Radosna z uśmiechem na ustach zadawała sobie samej pytanie, czy magicy mogliby również sprawić, aby znikł jej ojciec. To by dopiero było fantastyczne. Kiedy skończyło się przedstawienie, podeszła do jednego z nich i próbowała mu wyrwać różdżkę. Manuela musiała go przeprosić za swą córkę, po czym złapała ją za rękę.

– Musimy już iść.

Zanim jednak Radosna wróciła do domu, zobaczyła coś, co wywarło na niej jeszcze większe wrażenie. Był to numer z płaczącą świnką. Jej właściciel przemawiał do niej, jakby była osobą, i wyjaśniał, w jaki sposób ludzie zabijają przedstawicieli jej gatunku. Z wszystkimi szczegółami opowiadał jej, jak to najpierw otwiera im się brzuch, a potem rozpłatane zostają od głowy do ogona. Zbliżał usta do jej ryjka i szeptał teatralnie:

– Krew zaczyna z was uchodzić, bulgocząc. Nie ma większego cierpienia na świecie. A świnia, mimo że jest rozpłatana, żyje nadal, kwicząc rozdzierająco. I wyciągają z was flaki, żeby robić wędliny, i odcinają wam nogi na szynki.

Był to naprawdę niezwykle emocjonujący widok – oczy świnki napełniały się łzami. Zaczynała pokwikiwać, a łzy, jedna po drugiej, spływały jej z oczu. A matki musiały odsunąć swe dzieci, gdyż przerażone słowami owego mężczyzny również zaczynały płakać. I krzyczały do niego „świnia, świnia", naturalnie nie do biednego zwierzaka, tylko do jego właściciela. Cóż za widowisko, ze wszech miar godne ubolewania.

Tego wieczoru Radosna zadręczała Manuelę pytaniami. Łzy świnki zrobiły na niej wielkie wrażenie. Chciała się dowiedzieć, czy zwierzęta płaczą.

– Krowy płaczą?

– Nie wiem.
– Muchy płaczą?
– Nie wiem.
– Ryby płaczą?
– Nie wiem.

Jej zainteresowanie objęło również byty nieożywione. Czy krokiety płaczą? A jajka? A kamienie, czy płaczą? A pomarańcze? A domy, czy płaczą?

– A ojciec, czy także płacze?

Radosna nie przypominała sobie, żeby kiedykolwiek widziała Romancjusza płaczącego. Manuela także, choć czasami, kiedy się kochali, miewał załzawione oczy. Wówczas odwracał głowę, mężczyźnie wszak nie przystoi okazywanie uczuć.

Radosna musiała powtórzyć pytanie.

– A mój ojciec, czy także płacze?

Odpowiedź wypłynęła z samej głębi serca Manueli.

– Jeżeli świnie płaczą, to jestem pewna, że twój ojciec także.

Podczas gdy Manuela przygotowywała wieczerzę, Radosna przyglądała się z otwartą buzią drewnianemu Chrystusowi, roniącemu pięć łez; matka wyjaśniła jej, że jest On Synem Bożym. Drewniane łzy płynące z Jego oczu wywierały na niej jeszcze większe wrażenie niż to, że przybity był do krzyża. Więc nawet On płakał.

– Czemu płacze, skoro jest Bogiem?

Matka, nie wiedząc, co na to odrzec, powiedziała tylko, że pewnego dnia Chrystus im pomoże i że dzięki Niemu wyswobodzą się spod władzy Romancjusza. Mijał jednak rok za rokiem, a owa szczęśliwa chwila jakoś nie nadchodziła. Tym, od czego dziewczynka rzeczywiście została wyswobodzona, była szkoła.

– Żeby gotować i zmywać gary, niekoniecznie trzeba umieć czytać.

Na domiar nieszczęścia ojciec Radosnej musiał zamknąć swój interes. A wszystko przez ten belgijski klej do umocowywania sztucznych zębów. Wywoływał zapalenia dziąseł i wielu spośród klientów Romancjusza o mały włos nie przejechało się na tamten świat. On sam zmuszony był ukrywać się w domu przez kilka miesięcy. Potem szukał pracy, lecz bez skutku. Z powodu charakteru, jakim się odznaczał, nikt nie chciał go zatrudnić. Łatwo sobie wyobrazić zły humor, w jakim wracał do domu. I, cóż za nieszczęście, jedynie pieprząc się z małżonką zapominał o swych kłopotach. Nigdy dotąd Manuela nie kochała się tyle razy. Ani nie robiła tylu krokietów. Właśnie wtedy gdy Romancjusz je spożywał, przyszedł mu do głowy pewien pomysł: będzie je sprzedawać w okolicznych barach i restauracjach. I tak nieszczęsna Manuela, zmuszona znosić swego małżonka i dla niego gotować, musiała również smażyć krokiety niemal dla całego świata. Najgorsze było to, że Romancjusz Cierpliwy prawie cały czas siedział w domu, nadzorując pracę żony. Niejednokrotnie Manuela miała ochotę przyłożyć mu po łbie patelnią, której używała do smażenia krokietów, jednak w ostatnim momencie brakowało jej odwagi. Radosna nie mogła znieść widoku swej matki tak smutnej, z wiecznie zapłakanymi oczyma; tuliła się do niej, pragnąc ją pocieszyć, i nienawidziła swego ojca.

– Ja też chcę płakać.

Manuela gładziła ją po włosach, mówiąc:

– Dzień, w którym zapłaczesz, będzie dniem szczęśliwym.

Lecz szczęście nie nadchodziło.

Radosna skończyła już dwanaście lat i nadal nie uroniła ani jednej łzy. Czuła w swym wnętrzu taką wściekłość, że nawet żołądek jej się skręcał, wydając osobliwe dźwięki; od maleńkości cierpiała na zatwardzenie. Chodziła na ugór nieopodal domu, zamykała oczy i zaczynała krzyczeć co sił w płucach. To jej sprawiało głęboką ulgę. Rozdzierające wrzaski, pełne wściekłości, bólu i smutku. Czuła się ogromnie nieszczęśliwa. Jakże bardzo pragnęłaby zapłakać...

Lecz nie mogła.

O święta cierpliwości.

Radosna spojrzała na gwiazdy i zapytała:
– Lód się rozpuszcza, bo płacze z zimna?
Noc była lodowata.

Mikołaj Delfin zakochał się w jej oczach. Była to miłość gwałtowna jak lot strzały, i to nie tylko w sensie przenośnym. Owego dnia bawił się na ugorze łukiem i wypuścił z niego strzałę z taką siłą, że dosięgła piersi Radosnej. Mikołaj Delfin miał podówczas piętnaście lat, a Radosna dwanaście. Całe szczęście, że strzała była z drewna i skończyło się na strachu. Wbiła się w sukienkę Radosnej. Chłopak podbiegł do dziewczynki – leżała jak długa na ziemi. Grot strzały przebił sukienkę, przez dziurę prześwitywała niewyraźnie pierś Radosnej. Piersi jej były jeszcze maleńkimi wzgórkami, nie przypominały górskich szczytów. Mikołaj Delfin pochylił się nad Radosną i wówczas ujrzał jej oczy – smutne, lecz bardzo piękne, lśniące niczym gwiazdy. Poczuł w sercu silne ukłucie. Wiedział już, że zakochał się w tej dziewczynce. Radosna, przerażona obecnością młodzieńca, skuliła się. Myślała, że chce ją uderzyć.

– Tak mi przykro, nie widziałem cię. Nic ci nie jest?

Mikołaj chciał pomóc jej wstać, ale ona się odsunęła.

– Chcę ci tylko pomóc.

Radosna umknęła. Mikołaj z szerokim uśmiechem na twarzy patrzył, jak się oddalała. Położył dłoń na sercu, słysząc jego bicie. W wieku piętnastu lat poznał kobietę swego życia.

Mikołaj Delfin mieszkał w Nostalgii ze swą matką i duchem ojca. Ten, który go spłodził, zmarł niedawno i matka przechowywała wszystkie pamiątki po nim, a także jego prochy. Miał zaledwie trzydzieści pięć lat, kiedy odszedł z tego świata: śmierć była tak wielką jego obsesją, że w końcu umarł przedwcześnie. Pracował jako grabarz na cmentarzu w Nostalgii; pomimo braku wykształcenia doskonale wiedział, jak po śmierci człowieka rozkłada się jego ciało. Dlatego nieskończenie wiele razy wyrażał swą wolę, by ciało jego zostało poddane kremacji. Już za życia był duchem: pojawiał się w domu o świcie, rozsiewając zapach perfum przydrożnych kurew; pieprzenie się było jedynym zajęciem, które pozwalało mu zapomnieć o obsesji. Jasne, że miłość jest ślepa: mimo wszystko jego żona, matka Mikołaja, cały czas go kochała.

Na szczęście Mikołaj Delfin odziedziczył po ojcu jedynie nazwisko i błękitny kolor oczu. Niezwykła wrażliwość i bujna wyobraźnia młodzieńca nie były zbyt dobrze widziane w świecie *machos*. Jego przyjaciele uważali, że jest zniewieściały, i ciągle wytykali mu jego zainteresowania: lubił czytać, słuchać rozmaitych opowieści i opowiadać własne sny. Jednak to, co go fascynowało najbardziej na świecie, znajdowało się poza nim: uwielbiał wpatrywać się w gwiazdy. Dawniej robił to ze swym dziadkiem, lecz ten także już odszedł z tego świata. To on nauczył chłopca obserwować je i kochać. Przed śmiercią podarował wnukowi mnóstwo księżycowych kamieni. Mikołaj bardzo przeżył jego śmierć. Od tej pory nocami spoglądał na gwiazdy i zadawał im pytanie:

– Dlaczego dziadek odszedł?

Dziadek Mikołaja w ostatnich latach życia trudnił się sprzedażą kamieni z Księżyca. Zwykł mawiać, że to interes, który spadł mu z nieba: którejś nocy ujrzał, jak ognista kula spada z firmamentu. Szczęściem go nie zmiażdżyła. Meteoryt roztrzaskał się w jego ogródku, tworząc niewielki krater. Owej nocy dziadek popatrzył na Księżyc i zdało mu się, że kawałka brakuje. Pomyślał, że ten odłamek kamienia oderwał się od Księżyca. Wiele dni minęło, nim przerażony i zarazem podekscytowany dziadek Mikołaja zbliżył się do otworu, do którego, niczym piorun, wpadł jego skarb. Dotknął meteorytu i owa skamieniała masa wydała mu się niezwykle piękna. Pokruszył ją kilofem, po czym włożył do worka mnóstwo księżycowych kamieni. Porzucił swój dom i jął przemierzać świat w nadziei, że zostanie milionerem. Wędrował od wioski do wioski i oferował swe kamienie jako autentycznie księżycowe.

Lecz czasy były ciężkie i niewielu mogło sobie pozwolić na luksus kupna kamieni, choćby najbardziej nieziemskich. Wiele dni spędził, rozmyślając i próbując znaleźć dla nich inne zastosowanie. Oglądał je dokładnie przez calutkie trzy dni i trzy noce. Aż wreszcie, czystym przypadkiem, natknął się na rozwiązanie problemu. Potarł jednym z kamieni nagniotek na stopie – rezultat okazał się znakomity. Jako że były szorstkie i porowate, nadawały się doskonale do usuwania nagniotków. Od tej pory mógł się utrzymać dzięki swym kamieniom z Księżyca.

Mikołaj marzył o tym, by zobaczyć miejsce, gdzie spadł meteoryt, o którym tyle słyszał, i – czemuż by nie – poprowadzić dalej interes dziadka. Zastygał w zadumie, spoglądając w niebo i czekając, czy aby nie spadnie jeszcze jeden. Matkę doprowadzał do rozpaczy; spędzał całe noce, gapiąc się na gwiazdy.

– Jak tak dalej będziesz robił, na zawsze pozostaniesz nędzarzem.

Owej nocy, gdy poznał Radosną, Mikołaj Delfin nie mógł zasnąć. W jego myślach pojawiały się jej smutne oczy, przerażona buzia, dziecięce jeszcze ciało. Fascynowała go delikatność dziewczynki. A także dwa niewielkie pagórki jej piersi. Kochał ją, kochał głęboką miłością. Te oczy, tak smutne. Nigdy jej nie widział w Nostalgii i to go dziwiło. Tej samej nocy Radosna także myślała o Mikołaju, lecz nie dlatego, że miałaby go kochać, wręcz przeciwnie. Nienawidziła go – teraz nie czuła się bezpiecznie nawet na swym własnym kawałku ugoru.

Kiedy Mikołaj dowiedział się, że Radosna należy do rodziny Romancjusza Cierpliwego, dosłownie oniemiał. To była doprawdy zła wiadomość. Paskudny charakter Romancjusza znany był w całej wiosce. Chłopak udał się na ugór, lecz nie dostrzegł tam dziewczynki. Podszedł więc bliżej domu. Schował się za studnią i czekał. Zobaczył, jak Radosna wychodzi na dwór. Zbliżył się do niej. Dziewczynka przeraziła się na jego widok. Mikołaj powiedział:

– Chciałem tylko zobaczyć, czy dobrze się czujesz.

Radosna z powrotem weszła do domu. Mikołaj ze smutkiem popatrzył na drzwi. Wszystko diabli wzięli. Oddalił się, zniechęcony. Przecież przyniósł jej prezent. Kamień z Księżyca. Gotów był jej go podarować, co było oznaką wielkiej miłości, jaką ją darzył.

Mikołaj jednak musiał koniecznie ją zobaczyć i nazajutrz pojawił się znowu pod domem Romancjusza. Radosna, zerkając przez okno, czekała, aż wreszcie sobie pójdzie, ale nie, on najwyraźniej nie miał zamiaru się stamtąd zabrać. Już zapadała noc i chłopiec, zrozpaczony, zamierzał odejść, kiedy w końcu ujrzał Radosną. Nie dlatego, że ona chciała go widzieć, lecz dlatego, że Romancjusz postanowił właśnie kochać się z Manuelą. Dziewczynka musiała stać pod drzwiami.

– Idź sobie.

Mikołaj wyszeptał:

– Nie chcę ci zrobić krzywdy.

Rozległy się posapywania Romancjusza i krzyki Manueli. Mikołaj poczuł zażenowanie – wrzaski były tak donośne, że nie wiedział, czy matka Radosnej przeżywa coś cudownego, czy wręcz przeciwnie. Wtedy dało się słyszeć beknięcie Romancjusza i Radosna, ze spuszczoną głową, wróciła do domu.

Dzięki temu, że Romancjusz Cierpliwy rżnął swą małżonkę, Mikołaj mógł zobaczyć Radosną tego wieczoru, jak również i następnych. Aż wreszcie Romancjusz poszedł sprzedać krokiety do sąsiedniej wioski; wówczas to Mikołaj, który zbliżał się do domu, natknął się na Manuelę. Ujrzawszy go, wpadła w furię; miała ze sobą miotłę, którą rąbnęła go porządnie raz i drugi. Szlochając, matka dziewczynki powtarzała:

– Zostaw w spokoju moją córkę. Jeśli ją skrzywdzisz, zabiję cię.

Mikołaj bronił się, jak umiał, lecz ta kobieta była jak szalona. Radosna wtrąciła się – w końcu chłopak nic złego jej nie zrobił.

– Pozwól mu odejść, mamusiu, jest niewinny.

Manuela na krótki moment przestała okładać chłopca.

Radosna krzyknęła do Mikołaja:

– Uciekaj!

Mikołaj oddalił się, przerażony. Jeśli Manuela miała taki charakter, nie chciał sobie nawet wyobrażać, jaki też może być Romancjusz. Radosna patrzyła na matkę osłupiała. Nigdy nie widziała jej tak wściekłej jak owego dnia. Weszły do domu. Manuela w końcu się uspokoiła i przytuliła córkę.

– Musisz bardzo uważać na mężczyzn. Wszyscy jak jeden to skurwysyny.

Radosna była zakłopotana.

– Widziałam się z nim już kilka razy i nigdy mnie nie uderzył.

– Nie ufaj ani jemu, ani żadnemu. Przysięgniesz, że już nigdy się z nim nie zobaczysz?

– Przysięgam, mamusiu.

Sama Manuela, kobieta zazwyczaj delikatna, była zdumiona agresją, jaką okazała. Pomyślała, że dla swej córki byłaby w stanie zabić. Przysięgła już dawniej, że nie pozwoli, by ktokolwiek ją skrzywdził. I dotrzyma obietnicy. Począwszy od tej chwili, postanowiła uczyć Radosną życia. Nigdy nikomu nie ufaj. Wszyscy mężczyźni to skurwysyny. Spodziewaj się najgorszego, a na pewno się spełni. Szczęście to mieć pełny żołądek.

Mimo wszystko Mikołaj musiał zobaczyć Radosną, i nazajutrz ponownie zjawił się koło jej domu. Na nieszczęście spotkał ojca dziewczynki, który wracał właśnie z podróży. Rzucił się do ucieczki, lecz Romancjusz już go złapał za kark i zaczął bić po twarzy.

– Co tu robisz? Przyszedłeś coś ukraść?

Manuela i Radosna usłyszały krzyk Mikołaja i wyszły z domu. Jeden jedyny raz w życiu, który nie posłużył za precedens, Manuela się ucieszyła, że Radosna ma ojca takiego jak Romancjusz. Uderzenia okazały się tak silne, że Mikołaj, mimo że było samo południe, ujrzał gwiazdy. Radosna nie mogła już znieść tego wszystkiego i podniosła wrzask, udając, że ukąsił ją skorpion. Romancjusz zatkał sobie uszy i Mikołaj mógł uciec.

Po tym laniu, mimo że bardzo pragnął zobaczyć Radosną, Mikołaj nigdy się już nie odważył pojawić w pobliżu domu Romancjusza. Był zakochany, owszem, ale przecież nie miał źle w głowie. Jednak gdy tydzień później bawił się na ugorze, naraz ujrzał jakąś postać ukrytą za dębem. Błyskawicznie pojął, że to musi być Radosna, serce jego bowiem zaczęło gwałtownie bić. Zbliżył się do drzewa, a wtedy dziewczynka oddaliła się o parę kroków. Mikołaj przystanął, nie chcąc, żeby uciekła. Wówczas usłyszał:

– Nie zbliżaj się więcej do mojego domu.

I umknęła. Mikołaj Delfin obserwował ją z uśmiechem szczęścia na twarzy. Teraz był pewien, że dziewczynka żywi względem niego jakieś uczucia. Zobaczył ją dopiero parę dni później. Znów skryła się za dębem. Chłopiec ruszył w jej stronę – tym razem udało mu się znaleźć nieco bliżej Radosnej. I tak oto, dzień po dniu, mógł podchodzić coraz bliżej. Upłynął cały miesiąc, zanim znaleźli się w takiej odległości jak ludzie, którzy ze sobą rozmawiają. A drugi, zanim do siebie przemówili. Jakkolwiek z początku to Mikołaj był tym, który mówił. Radosnej trzeba było dosłownie wyrywać każde słowo, i tak samo uczucia. Nigdy nie mówiła o swej rodzinie, o rodzicach ani o swym pieskim życiu.

– Jak chowasz wszystko w środku, staje się to jeszcze gorsze, niż jest.

Zdarzało się, że Radosna pojawiała się na ugorze cała posiniaczona i z oczyma tak podkrążonymi, aż było to dziwne, zważywszy na jej młody wiek. Nigdy jednak się nie skarżyła ani też niczego nie wyjaśniała, mimo nalegań Mikołaja, który zawsze tak do niej mówił:

– Jesteś jak zamknięta szkatułka. Wpuścisz mnie kiedyś do środka?

Mikołaj Delfin nie chciał jej stracić i był wobec niej niezmiernie cierpliwy. Naturalnie miał ogromną ochotę jej dotknąć, poczuć pod palcami jej skórę, lecz nie miał odwagi. Czasami nieświadomie unosił ręce, gestykulując, i to wystarczało, by przerazić Radosną, która zaczynała krzyczeć:

– Nienawidzę cię!

Co za szczęście, że od nienawiści do miłości jest tylko krok. Mikołaj nie chciał nawet sobie wyobrażać, co by się stało, gdyby spróbował ją pocałować. Ale nie było to dla niego ważne: wystarczało mu, że na nią patrzył. Te smutne oczy, te zaciśnięte usteczka, ach, te czarowne pagórki. I znów do niej przemawiał:

– Jesteś jak szkatułka. Wpuścisz mnie kiedyś do środka?

Pomalutku Mikołaj zdobywał zaufanie dziewczynki. To nie było łatwe. Radosna, ciągle spięta, zamknięta w sobie, wciąż się przed czymś broniła. Kiedy nazbyt się do niej zbliżał, dostawał po gębie. Nieraz o mały włos jej nie oddał – miał dość tej nieufności – lecz zdawał sobie sprawę, że to najgorsza taktyka w stosunku do niej. Nietrudno było zgadnąć, że Radosna nosiła w duszy okrutny lęk. Musiała kryć ogromnie dużo goryczy w swym wnętrzu, bo nawet jej żołądek wydawał jakieś dziwne odgłosy. Mikołaj chciał jej pomóc i ukazać piękno tego świata. Wiedział bowiem, że z całą tą wściekłością, jaką dusiła w sobie, nigdy nie zdoła go dostrzec.

Mikołaj nauczył ją czytać i pisać kilka słów. Nie tylko dlatego, żeby zostać jej nauczycielem, lecz także po to, aby być bliżej niej. Pierwszymi słowami, jakich się nauczyła, były imiona – jej własne i jej nauczyciela: Radosna i Mikołaj. Chciała też wiedzieć, jak się pisze „morze", „łza" i imię jej matki – Manuela. Za to odmówiła kategorycznie uczenia się pisowni imienia ojca. Potem biegali po ugorze i gonili się, a zabawa w obiecanki-macanki była jedyną okazją, by Mikołaj mógł musnąć jej ciało. I choć mógł to czynić jedynie przez ułamki sekund, żeby się nie przestraszyła, czuł jakby prąd elektryczny płynący od dziewczyny.

W deszczowe dni obydwoje stawali w strugach deszczu, rozkładając szeroko ramiona; Radosna uśmiechała się, kiedy krople spływały jej po twarzy. Mikołaj patrzył na nią z czułością; cóż to była za radość widzieć ją uśmiechniętą. I opowiadali sobie nawzajem sny – jakże odmienne. W snach Mikołaja mnóstwo było przygód, życia, Księżyców. Sny Radosnej zaś – przeciwnie – czarne były, brutalne, pełne gwałtowności.

Inną rzeczą, która sprawiła, że Radosna spojrzała na chłopca łaskawszym okiem, były jego prezenty. Podarował jej masę czekoladek, dwie ryciny z wizerunkami zwierząt, a także monetę pięciorealową, którą znalazł u siebie w domu. Ten ostatni podarunek wywarł największe wrażenie na dziewczynce, która nigdy dotąd nie miała żadnych pieniędzy.

– Naprawdę mi ją dajesz?

Mikołaj Delfin przytaknął:

– Pieniądze mnie nie interesują.

Radosna zdumiona porwała monetę. Nie mogła pojąć, jak ktoś może się pozbyć czegoś najcenniejszego na świecie.

– Nie można żyć bez pieniędzy.

Mikołaj zamknął oczy i głęboko odetchnął:

– Do życia naprawdę niezbędne jest tylko powietrze.

Radosna odparła:

– Tak, ale jedzenie też.

Mikołaj popatrzył na Radosną z uśmiechem zakochanego.

– Mógłbym się żywić jedynie miłością.

Wieczorami, kiedy Romancjusz Cierpliwy rżnął Manuelę, młodzi wpatrywali się w gwiazdy. Pewnego razu słysząc dyszenie Romancjusza, Radosna spytała Mikołaja:

– Jeżeli pragnę śmierci mojego ojca, to znaczy, że jestem bezduszna?

Mikołaj wzruszył ramionami i odrzekł:

– Zapytaj gwiazd.

Radosna, nieco zmieszana, spojrzała na niebo i raz jeszcze wypowiedziała pytanie:

– Jeżeli chcę śmierci mojego ojca, to znaczy, że jestem bezduszna?

Nie otrzymała odpowiedzi. Zbita z tropu spojrzała na Mikołaja.

– Choćby gwiazdy nie dały odpowiedzi, pomogą ci zrozumieć to wszystko.

Radosna nie pojmowała tej pasji Mikołaja. Kiedy jednak wróciła do domu i położyła się do łóżka, nie była w stanie robić nic innego: patrzyła cały czas na gwiazdy i bombardowała je pytaniami:

– Dlaczego moja matka jest tak bardzo nieszczęśliwa? Dlaczego Romancjusz Cierpliwy raz wreszcie nie umrze? Dlaczego nie mogę zapłakać? Dlaczego są takie dni, kiedy wolałabym przedzierzgnąć się w kamień?

Nie otrzymała żadnej odpowiedzi, ale poczuła się lepiej.

Radosna zapytała Mikołaja:

– Czy gwiazdy płaczą?

Mikołaj się zamyślił. Nigdy się nad tym nie zastanawiał. Przypomniał sobie, że dziadek ciągle mu opowiadał o meteorytach, które spadały na Ziemię. Być może to były łzy. Odparł więc:

– Tak, i Księżyc tak samo.

Chłopiec opowiedział Radosnej o swym dziadku, o meteorycie, który spadł w pobliżu domu. I na koniec podarował jej kamień z Księżyca. Popatrzyła na niego z ciekawością i spytała:

– To jest kawałek księżycowej łzy?

– Tak.

Owego dnia przepełniona dumą Radosna wyznała Mikołajowi, że nigdy w życiu nie płakała. Dzięki matce wiedziała, że nie wylewa łez, bo jest wybranką losu, osobą, której przeznaczeniem jest być szczęśliwą. Zamiast jej pogratulować, zakochany młodzieniec powiedział:

– Dobrze jest płakać.

Radosną ta odpowiedź wprawiła w zakłopotanie. Mikołaj mówił jej coś całkiem innego niż matka.

– Musisz sobie ulżyć. Dopóki nie wyciągniesz na wierzch całej wściekłości i smutku, które masz w środku, nie będziesz szczęśliwa.

Od kiedy Mikołaj się dowiedział, że Radosna nie płacze, postanowił użyć całej swej pomysłowości, by mogła to uczynić. Najpierw opowiadał jej historie z życia swej rodziny, jak na przykład tę o babci, która zginęła w pożarze. Stwierdziwszy, że dziewczynka nie reaguje w żaden sposób, zmuszony był nieco je ubarwić. Opowiedział jej o swej ciotce, Annie Sacramento, która urodziła się bez rąk i nóg, podczas gdy w rzeczywistości nie miała tylko jednej ręki. Potem przyszła kolej na historie, które usłyszał od dziadka, i inne już własnego autorstwa – jedna smutniejsza była od drugiej. Spoglądał Radosnej w oczy, lecz nigdy nie widział, żeby płakała. Nawet wtedy, gdy jej opowiedział historię o mrówce i słoniu. Była to opowieść o miłości – tyleż piękna, co nieprawdopodobna:

„Słoń i mrówka zakochali się w sobie. Mrówka wspinała się po cielsku słonia i siadała na jego olbrzymim grzbiecie. Próbowała go pieścić, lecz jako że jej łapka była naprawdę mikroskopijna, słoń nic nie czuł. Kiedy zaś słoń próbował pieścić trąbą swą maleńką ukochaną, za każdym razem o mało jej nie tratował. Mrówka, przerażona, uciekała co sił w nóżkach przed nieskończonej długości trąbą, która się nad nią kołysała. Mogli zatem jedynie patrzeć na siebie. Jakkolwiek nie bez trudności: słoń zaledwie mógł dostrzec maleńki punkcik poruszający się na ziemi. Pewnego dnia słoń niechcący uronił łzę. Tak nieszczęśliwie, że upadła na jego ukochaną. Dla mrówki owa łza była niczym wielka trąba wodna, niczym olbrzymie jezioro i nieuniknione było, że w niej utonie. We własnym swym smutku".

Nawet opowiadając Radosnej dramatyczne historie, czy to prawdziwe, czy też zmyślone, Mikołaj nie zdołał sprawić, by zapłakała. Zaczynał tracić ducha, gdyż czasami osiągał całkiem odwrotny rezultat. Kiedy jej opowiedział, co się dzieje z ciałem po śmierci – słyszał to tysiące razy z ust ojca – Radosna nie mogła powstrzymać się od śmiechu. Śmiała się, kiedy mówił, że w dwie do ośmiu minut po zatrzymaniu akcji serca tkanka nerwowa i mózg zaczynają szybko obumierać. Śmiała się, słysząc, że mięśnie i zwieracze nadal pracują nad wydalaniem moczu i fekaliów. Tak samo zareagowała, kiedy powiedział, że dwadzieścia cztery godziny po śmierci ciało zaczyna się rozkładać i cuchnąć, pojawiają się na nim czerwone i sine plamy. I że niewiele później wykwitają, przede wszystkim na tułowiu, olbrzymie zielone plamy zgnilizny, stopniowo pokrywające całe ciało, a skóra schnie i oddaje wodę, aż w końcu przekształca się w łuski przyklejone do kości. I że organy wewnętrzne wypełnia zielonkawa, cuchnąca ciecz. A woda z ciała uchodzi do ziemi, niosąc w sobie rozpuszczone sole i bakterie. Pod osłupiałym spojrzeniem Mikołaja Radosna pokładała się ze śmiechu, dowiadując się, że tłuszcze przybierają formę przypominającą stalaktyty, które zwisają, długie i miękkie, z końców trumny. A po upływie roku trup zmienia się w szkielet, do którego przymocowane są jeszcze strzępy ścięgien i więzadeł, i resztki wielkich naczyń krwionośnych.

Mimo wszystko Mikołaj niestrudzenie powtarzał Radosnej, że ją kocha. Wówczas ona spuszczała wzrok. Mikołaj nalegał:

– Pokochasz mnie kiedyś?

Radosna lubiła przebywać z Mikołajem, lecz miała w pamięci zarówno rady matki, jak i razy ojca. Bała się go – w końcu był mężczyzną i miał dwie ręce zdolne sprać ją w każdej chwili. Ponadto nie była zakochana. Wiedziała o tym, bo Mikołaj jej wyjaśnił, że kiedy to nastąpi, człowiek czuje w sercu ukłucie i całe życie widzi inaczej, wszystko staje się piękniejsze.

W dniu, kiedy Radosna skończyła trzynaście lat, Mikołaj próbował ją pocałować.

– Muszę cię wziąć w ramiona.

Radosna poderwała się na równe nogi.

– Nie dotykaj mnie!

Wtedy Mikołaj ją przytrzymał. Zamknęła oczy w obawie przed ciosem.

– Nie zrobię ci krzywdy. Pragnę tylko cię kochać.

Radosna nic nie odpowiedziała. Uciekła pędem.

– Jeśli nie otworzysz swej szkatułki, nigdy nie będziesz mogła kochać.

Radosna nigdy nie powiedziała matce, że spotyka się z Mikołajem. Ostatnio Manuela ciągle jej opowiadała o podłości mężczyzn. Przysporzyłaby jej strasznego zmartwienia. Dość już było tej biedaczce znosić Romancjusza.

Radosna spojrzała na gwiazdy i zapytała:
– Co by się stało, gdyby Słońce i Księżyc zakochały się w sobie? Nie mogłyby się nigdy widywać? Radosna pomyślała, że miłość jest bardzo skomplikowana.

Kiedy Romancjusza nie było w domu, Manuela pozwalała Radosnej spać do wpół do dziewiątej. Lecz tamtego dnia, gdy matka i córka były same, Radosna wstała pierwsza. Spojrzała na leżącą w łóżku Manuelę, podeszła do niej, myśląc, że jeszcze śpi, pochyliła się do jej ucha i szepnęła:

– Mamusiu, śpisz?

Manuela nie odpowiedziała, więc aby ją obudzić, Radosna pogładziła ją po twarzy, ucałowała ze słodyczą, a ponieważ oczy matki się nie otwierały, położyła się koło niej na łóżku. Minęła godzina, potem dwie, oczy Manueli nadal były zamknięte; tak było aż do zmroku i do następnego dnia, kiedy nadszedł Romancjusz Cierpliwy. Musiało być już około drugiej po południu; kiedy ujrzał Manuelę wyciągniętą w łóżku, zaczął na nią wrzeszczeć – wszak była pora obiadu i okrutny głód skręcał mu wnętrzności. Nie było go w domu od tygodnia i ślinka napływała mu do ust, gdy myślał o świeżutkich krokietach z mięsa.

– Powinnaś teraz przygotowywać obiad.

Ponieważ nie odpowiadała, podszedł bliżej, żeby jej pogrozić. Potrząsnął jej ciałem. Jedno z ramion Manueli opadło bezwładnie i kołysało się niczym wahadło zegara. Wówczas Romancjusz uświadomił sobie, że jego żona nigdy więcej nie przygotuje mu ani krokietów z mięsa, ani niczego innego. Padł na nią los na loterii śmierci. Chcąc być sam z Manuelą, odsunął gwałtownie córkę. Usiadł na łóżku i zakrył twarz dłońmi, mężczyźnie wszak nie przystoi okazywanie uczuć. Radosna, zrozpaczona, próbowała przytulić się do ojca, lecz zarobiła kuksańca.

– Daj mi spokój, chcę zostać sam na sam z twoją matką.

Prawdę powiedziawszy, kiedy Romancjusz Cierpliwy uświadomił sobie, że jego żona umarła, zapłakał. Bądź co bądź Manuela była dobrą żoną. Przytulił się do niej i ucałował z czułością, jakiej nigdy w życiu jej nie okazał. Zanim oznajmi smutną nowinę światu, chciał jeszcze zerżnąć ją po raz ostatni. Spojrzał na Radosną z mało przyjaznym wyrazem twarzy.

– Precz stąd!

Dziewczynka usłuchała, po czym zaczęła wrzeszczeć z wściekłości. Podobnie jak Romancjusz, który także krzyczał z rozpaczy, poruszając się po raz ostatni w ciele swej żony. A suka, słysząc taki hałas, dołączyła się swym wyciem do żałobnych pień rodziny. Tym razem, kiedy Romancjusz skończył, nie beknął, tylko oznajmił sentencjonalnie przez łzy:

– Pierdolę to życie i tę zasraną śmierć.

Radosna, pełna bólu i wściekłości, pobiegła na ugór i natknęła się tam na Mikołaja Delfina.

– Moja mamusia umarła.

Mikołaj popatrzył na nią z czułością. Jej smutne oczy były smutniejsze niż kiedykolwiek. Usteczka drżały nerwowo. Zbliżył się do niej, aby ją pocieszyć, aby utulić ją w ramionach. Niewiele brakowało, a Radosna pozwoliłaby się przytulić. Jednak w ostatnim momencie odskoczyła od niego. Ponownie próbował się do niej zbliżyć, ale Radosna znów się cofnęła.

– Pozwól, że ci pomogę, pozwól mi się przytulić. To przyniesie ulgę.

Mikołaj, zmieszany, obserwował uważnie oczy dziewczynki. Rozświetliły się i bardziej niż kiedykolwiek przypominały dwie gwiazdy.

– Płacz, Radosna. Błagam cię.

Lecz Radosna nie zapłakała.

Umknęła co sił w nogach.

Podczas pogrzebu Radosna powstrzymywała się od płaczu, a ojciec płakał przede wszystkim nad sobą, kto też będzie mu teraz robił krokiety z mięsa. Przeklęta śmierć. Był tak przybity, że zapomniał zabrać nieboszczce ślubną obrączkę. Anastazja także była przygnębiona, w końcu to jej córka. Podeszła do trumny, aby pożegnać się ze zmarłą, i na jej twarzy odmalował się smutek. Gdy już ucałowała Manuelę, złapała ją za lewą dłoń: była lodowata. Rozejrzała się dookoła i stwierdziwszy, że nikt jej się nie przygląda, ukradła zmarłej obrączkę. Niewiele brakowało, a oderwałaby cały palec, gdyż dłoń Manueli spuchła i matka nie mogła zdjąć obrączki. Schowała ją do kieszeni, zwracając się do córki po raz ostatni:

– Teraz to już na nic ci się nie przyda.

Kiedy Romancjusz wrócił do domu, suka Ewarysta powitała go z wielką serdecznością i skoczyła na niego, machając radośnie ogonem. Romancjusz uśmiechnął się – przynajmniej ma swą sukę, ta to jest prawdziwie wierną towarzyszką. Spojrzał na Radosną i pociechą stała mu się myśl o sobie samym jako o człowieku zaiste przewidującym: na szczęście jego córka potrafi zrobić krokiety z mięsa. Kazał jej przygotować wieczerzę. Położył sobie rękę na żołądku i oświadczył:

– Głodny jestem.

Dziewczynka wcale go nie słuchała, rzuciła się na łóżko i nie chciała nic a nic wiedzieć o tym świecie, który jej zabrał mateczkę. Romancjusz podszedł do niej, a ponieważ nie chciała wstać, przyłożył jej zdrowo po buzi.

– Powiedziałem ci, że masz mi przygotować wieczerzę.

Ponieważ Radosna nadal go nie słuchała, Romancjusz, wściekły, złapał nożyce i przytrzymał ją mocno. Podniosła wrzask, lecz nawet jej krzyki nie przeszkodziły ojcu w wymierzeniu kary. Trzynaście cięć nożycami – dokładnie ta pechowa liczba – wystarczyło, aby obciąć jej włosy prawie na zero. Radosna patrzyła ze smutkiem, jak włosy, z których była tak dumna, spływają na ziemię. Gdy tylko skończył, popchnął dziewczynkę tak gwałtownie, że upadła znów na łóżko.

– Powiedziałem ci, że masz mi przygotować wieczerzę.

To właśnie wtedy twarz Radosnej jakby zlodowaciała. Oczy jej się zaszkliły i nagle popłynęła z nich maleńka kropelka. W dniu śmierci matki pierwsza łza w życiu. I zaraz druga, a potem następna. Romancjusz był zaskoczony, nie tylko z powodu płaczu Radosnej, ale również dlatego, że w łóżku, obok niej, leżało mnóstwo łez, a nie były one z wody, lecz z jakiejś stałej materii, a w dodatku złocistej barwy. Pochwycił je tak szybko, że Radosna nawet nie zdążyła ich obejrzeć ani spróbować, czy są słone. Romancjusz ukrył je w dłoni i gapił się na nie z rozdziawioną gębą: wyglądały na szczerozłote. Wówczas przypomniał sobie ów dzień, kiedy ciężarna Manuela połknęła złoty ząb. Może to właśnie było przyczyną, dla której jego córka posiadła ten niezwykły dar. Otwarł dłoń, obejrzał raz jeszcze złociste łzy, na próżno usiłując ukryć szeroki uśmiech: to, co się właśnie stało, sprawiło, że zapomniał całkiem o śmierci żony i dręczącym go głodzie. I beknął, tak samo lub nawet bardziej donośnie niż wtedy, kiedy jadł lub pieprzył żonę. Spojrzał na córkę i po raz pierwszy w życiu otoczył ją ramionami. Radosna popatrzyła zdumiona na ojca: nigdy dotąd nie obdarzył jej choćby odrobiną czułości. Pocieszyła się myślą, że lepiej późno niż wcale. Pomyślała, że a nuż ojciec jednak ją kocha. Tak wiele uczucia sprawiło, że przestała płakać. Romancjusz pogładził ją po głowie.

– Musisz płakać.

Radosna nie mogła pojąć jego słów.

– Powiedziałem ci, że masz płakać.

Radosna nie mogła uronić ani łezki, choć bardzo się starała. Ojciec, z wolna tracąc cierpliwość, zaczął podnosić głos.

– Albo zapłaczesz, albo cię zatłukę.

Romancjusz Cierpliwy potrząsał dziewczynką gwałtownie, lecz bez skutku. Otrzymywała kuksańce, coraz mocniejsze i mocniejsze. To było aż nadto, aby każda ludzka istota zaczęła płakać. Ale nie Radosna. Była zbyt wściekła. Nienawidziła Romancjusza bardziej niż kiedykolwiek. Mogła tylko krzyczeć, a wrzask jej musiał być naprawdę przejmujący, bo nawet suka Ewarysta zaczęła szczekać. Romancjusz podniósł raz i drugi rękę, aby dziewczynkę uderzyć. Jako że nadal nie płakała, uniósł dłoń bardzo wysoko, by zadać Radosnej druzgocący cios. I tak wysoko ją podniósł, że niechcący strącił ze ściany Chrystusa: krzyż spadł mu na głowę, w wyniku czego stracił przytomność, a upadając, uderzył potylicą o kant stołu. Romancjusz leżał na wznak na ziemi. Z jego głowy popłynęła krew. Radosna z otwartymi ustami usiadła na podłodze, podczas gdy suka, z podwiniętym ogonem, zbliżała się do swego pana. Teraz to właśnie Ewarysta płakała, przeczuwając, że jej pan także ma się już udać do świata umarłych. Język pochlipującej suki jął z rozpaczą zlizywać krew, która zabarwiła czerwienią jej białą sierść. Oddech Romancjusza był coraz bardziej urywany. Krew wypływała strumieniem z jego głowy, mieszając się z obciętymi włosami Radosnej, która skulona obserwowała w bezruchu ową scenę.

Spojrzała na leżącego na podłodze Chrystusa i pomyślała o słowach matki, która jej kiedyś powiedziała, że pewnego dnia Bóg im pomoże wyzwolić się od ojca. A oczy Jego roniły jedynie cztery łzy, piątą bowiem zmasakrowały korniki. Romancjusz wydał cichuteńkie czknięcie i zaraz przestał oddychać.

Podczas czuwania przy zmarłym Anastazja tak wszystko urządziła, by na chwilę zostać z nim sam na sam. Nie okazało się to zbyt trudne, gdyż prócz niej była tam tylko sklepikarka. Anastazja chciała zabrać zmarłemu ślubną obrączkę. Podeszła do trumny i odezwała się do nieboszczyka:

– Teraz to już na nic ci się nie przyda.

Pochyliła się nad jego lewą dłonią, lecz – cóż za niespodzianka – obrączka już znikła. Ktoś wpadł na ten sam pomysł co ona i ją ubiegł.

– Przeklęta!

Anastazja wzięła sklepikarkę na stronę i oskarżyła ją o kradzież. Przeszukała jej kieszenie, ale nic nie znalazła. Sklepikarka uśmiechnęła się w duchu: ukryła obrączkę między piersiami. Nareszcie odebrała sobie dług, z którym Romancjusz zalegał – opłatę za znalezienie mu żony.

Wielu sądziło, że, wziąwszy pod uwagę charakter Romancjusza, nikt nie będzie go opłakiwał po śmierci. Grubo się jednak mylono: wycie suki Ewarysty nie ustawało podczas pogrzebu. Kiedy obrzęd dobiegł końca, suka położyła się przy grobie swego pana i pozostała tam na zawsze, i zdechła z głodu. Oto najlepszy dowód na to, że najwierniejszym przyjacielem człowieka, choćby był nie wiadomo jakim skurwysynem, jest pies.

Radosna spojrzała na gwiazdy i rzekła do nich:
– Kogo mam zapytać, co robię na tym świecie?
Od kiedy odeszła matka, serce Radosnej pękało z bólu.

Anastazja przeklęła wszystkich swych przodków, kiedy się dowiedziała, że będzie musiała zaopiekować się wnuczką. Z dwojgiem dzieci, które nadal pozostawały na jej utrzymaniu, już miała dość gęb do napchania. W dodatku cóż to za dzieci – nawet ona sama mówiła, że są w złą godzinę urodzone. Inez Maria chyba naprawdę była niewydarzona, skoro nie udało się jej wydać nawet za Tomasza, miejscowego głupka. Drugim dzieckiem Anastazji był Filip, który miał komarzy móżdżek i musiał być jeszcze lepszym numerem od swej siostry, bo Anastazja nawet nie próbowała szukać mu żony. Ponadto nie mogła znieść wrzasków Radosnej; dość się już nasłuchała wrzeszczenia Manueli. Na dodatek ostatnio bolały ją plecy, prawie nie mogła się schylać, te przeklęte korzonki! Ojciec Andreusz, który odprawił pogrzeb obydwojga małżonków, był nowym proboszczem parafii w Nostalgii. Poprzedni, ojciec Romulus, zrzucił habit. Pomimo jego głuchoty i nieopanowanego charakteru jakaś kobieta się w nim zakochała. Już nie był kapłanem, choć ojcem i owszem: ożenił się z nią i mieli córkę. Ojciec Andreusz próbował przemówić Anastazji do rozsądku:

– Jest pani jej jedyną rodziną.

Anastazja miała gotową odpowiedź:

– Bóg także jest rodziną tej małej, czemu On się nią nie zajmie?

Ojciec Andreusz obiecał Anastazji, że pomoże jej umieścić gdzieś dziewczynkę. Oczekując na znalezienie rodziny, Radosna zamieszkała w pokoju gościnnym na plebanii. Na jednej ze ścian wisiało niewielkie lusterko; przejrzawszy się w nim, Radosna poczuła się głęboko nieszczęśliwa. Straciła mamusię. Dotknęła swej ostrzyżonej głowy – wyglądała jak chłopak, czuła się okropnie. Pomyślała o Romancjuszu Cierpliwym: nienawidziła go nawet po śmierci. Bez wątpienia utrata włosów bolała ją o wiele bardziej niż strata ojca. Ksiądz Andreusz próbował ją pocieszyć:

– Znajdę ci jakąś dobrą rodzinę.

Odwiedzili najmajętniejsze rodziny w okolicy; nikt jednak nie chciał takiej dziewczynki jak Radosna, która w dodatku – z tą ostrzyżoną głową – nawet nie wyglądała jak dziewczynka. Próbował również umieścić ją w jakimś przytułku, lecz wszystkie dosłownie pękały w szwach. Jedynie jasnookie dzieci miały szanse na adopcję.

Anastazja tymczasem także robiła, co mogła. Planowała sprzedać Radosną niemieckiemu cyrkowi, który właśnie występował w wiosce. Zaoferowała im swą wnuczkę za znakomitą cenę – dwieście reali, później musiała jednak ją obniżać: sto reali, pięćdziesiąt, dwadzieścia pięć, dziesięć, jeden. Dziewczynka nie nadawała się na żonglerkę ani akrobatkę na trapezie, ani na woltyżerkę. Nie nadawała się nawet do tego, by sprzątać odchody cyrkowych zwierząt; tak strasznie się przeraziła, widząc gigantyczną defekację słonia, że zaczęła krzyczeć. I te wrzaski przeważyły szalę: potem nie chcieli jej już nawet za darmo. A po wizycie w cyrku Anastazja udała się do sklepikarki i oznajmiła jej, że oto właśnie sprzedaje Radosną. Wiedziała, że jeśli jej to powie, natychmiast usłyszy o tym cała wioska, lecz i to na nic się zdało. O mały włos, a byłaby sprzedała wnuczkę pewnemu wieśniakowi, ale ostatecznie jej nie zechciał. Obejrzał jej dłonie i stwierdził, że są zbyt delikatne. Anastazja oznajmiła:

– Jesteś tak samo bezużyteczna jak twoja matka.

W ten oto sposób Anastazja nie miała innego wyjścia, jak wziąć Radosną do siebie. Ojciec Andreusz, zanim przekazał dziewczynkę babce, powiedział:

– Ta mała powinna pójść do szkoły.

Odpowiedź była miażdżąca:

– Do szorowania garów i dojenia krów nie potrzebuje umieć czytać.

Dom Anastazji przypominał chlew. Na domiar wszystkiego pospołu z domownikami mieszkała koza. Anastazja z miejsca oświadczyła Radosnej:

– Jeśli będziesz się darła, zatłukę cię. – Rzuciła wnuczce koc. – Tu będziesz spała.

Radosna zamieszkała w spiżarni. Była ona tak maleńka, że dziewczynka nie miała nawet miejsca, by się wygodnie ułożyć na podłodze. W tym momencie pojawił się jej wujek Filip; Radosna, przerażona, prześlizgnęła się po nim wzrokiem od stóp do głów. Sięgał prawie do sufitu, był strasznie długi – lecz jeszcze dłuższy był jego język, który wyglądał jak olbrzymi befsztyk. Obaj: Filip i jego język, zbliżyli się do niej. Młodzieniec złapał ją mocno za ramiona i chciał ją polizać po szyi. I ten jeden jedyny raz – nigdy się to już nie powtórzyło – interwencja Anastazji okazała się zbawienna. Wymierzyła synowi donośny policzek.

– Zostaw ją w spokoju!

Radosna uśmiechnęła się słabiutko. Może babka jest lepsza, niż to sobie wyobrażała. Może jednak ją kocha. Wierzyła w to aż do chwili, gdy Anastazja nadeszła parę minut później ze stosem ubrań. Oznajmiła:

– Do tej pory żyłaś sobie beztrosko. Jesteś już w takim wieku, że możesz pracować.

To prawda: co się tyczy pracy, Radosna miała wiele szczęścia. Wszystkie dzieci Anastazji zaczęły pracować, ukończywszy osiem lat. Z jednym wyjątkiem. Wujek Filip – w wieku ośmiu lat osiągnął poziom umysłowy trzylatka i doprawdy lepiej było dla całej rodziny, aby pozostał w domu, bo tylko we wszystkim przeszkadzał. Anastazja dorzuciła:

– Chcę, żeby wszystko było wyprane jeszcze dziś wieczór.

Radosna prała aż do świtu, nie położywszy się nawet na chwilkę, a nazajutrz przystąpiła do prac domowych, do których należało zmywanie naczyń, szorowanie podłóg, ścieranie kurzu i układanie wszystkiego na miejscu. Nie było to łatwe zadanie. Wujek Filip spędzał cały dzień na rozwlekaniu rzeczy po kątach, a koza srała dosłownie na wszystko. Inez Maria też nie była szczególnie pomocna, zwłaszcza teraz, kiedy zebrało jej się na palenie papierosów: calutki dom służył jej za popielniczkę. Do tego dochodziła obora: Radosna musiała wszystko wyczyścić i wydoić Albertę i Begonię, dwie krowy, które wierzganiem okazywały swój kiepski humor. Udało jej się tylko wykręcić od szorowania sraczyka, który był od pięciu lat zepsuty, a Anastazja nie zgodziła się na jego naprawę, bo kosztowałoby to dwadzieścia reali. Należało zatem chodzić za potrzebą do obory, wystawiając się na uważne spojrzenia Alberty i Begonii. Pośród krowich placków i ludzkich odchodów prawie nie sposób było coś zdziałać. Więc teraz Radosna cierpiała na większe zaparcia niż kiedykolwiek. Kiedy dzieci Anastazji uskarżały się – a czyniły to nieraz – że nie ma w domu łazienki, Anastazja odpowiadała:

– Jeśli chcecie nowy sraczyk, dajcie mi dwadzieścia reali. A poza tym deptanie gówna przynosi szczęście.

Biedna Radosna kończyła dzień kompletnie wyczerpana. Zbierała kuksańce i bywała policzkowana z byle powodu, i to nie tylko przez Anastazję – także przez Filipa i Inez Marię. Szła do swej spiżarni i myślała o matce. Tak bardzo za nią tęskniła... Kładła się na ziemi i zwinięta w kłębek z powodu braku miejsca próbowała usnąć, ale Inez Maria budziła się o północy i zaczynała krzyczeć:

– Wszyscy mężczyźni to łajdacy!

Inez Maria była nieco stuknięta i miała po temu powody. W wieku dwunastu lat została zgwałcona i od tej pory rozum jej odjęło. Przez cały boży dzień przeklinała mężczyzn, a także swą matkę, która nie miała dla niej czulszego słowa nawet w dniu gwałtu. Wręcz przeciwnie, zrzuciła całą winę na nią za to, że nie potrafiła się obronić. Inez Maria codziennie groziła Anastazji, że ucieknie z domu.

– Pojadę do miasta i zarobię miliony.

Anastazja miała gotową odpowiedź.

– Doskonale, więc spieprzaj. Najwyraźniej chcesz utopić się w gównie.

Inez Maria odpowiadała:

– Przecież już w nim siedzę.

W rzeczy samej, w tym domu najroztropniejsza była koza. Wujek Filip, jak mawiała Anastazja, miał móżdzek komara i siłę byka. Nie żeby matka go jakoś szczególnie kochała, nic podobnego, ale przynajmniej był silny i pomagał jej w polu. Lecz od kiedy dorósł, zaczepiał wszystkie kobiety, i doprawdy całe szczęście, że miał komarzy móżdżek: wystarczyło mu powiedzieć, żeby sobie poszedł, i odchodził. Radosna się go bała, a zwłaszcza jego języka: miał istną obsesję oblizywania każdego skrawka ludzkiego ciała, lizał nawet kozę, jedyną, która nie protestowała. Ale nade wszystko Radosna lękała się swej ciotki Inez Marii. Ta łapała dziewczynkę za kark i groziła:

– Musisz zabić Anastazję, to kurewski pomiot.

Oczy ciotki pełne były gniewu. Radosna jej unikała, kiedy tylko mogła.

– Jeśli jej nie zabijesz, to poderżnę ci gardło, jak prosiakowi.

Radosna, która wiedziała doskonale, jak umierają świnie, myślała, przestraszona, że któregoś dnia ciotka naprawdę ją zarżnie. Anastazji za to w najmniejszym stopniu nie przerażały pogróżki córki. Jedyne, co ją obchodziło, to żeby mieć co do gęby włożyć, żeby nie dokuczały jej tak bardzo te przeklęte korzonki i żeby jej dali święty spokój. I naturalnie żeby mieć trochę pieniędzy schowanych w skarpecie – jedynej rzeczy, jaką zachowała po swym mężu. Cuchnęła ona tak straszliwie, że nie musiała nawet jej chować. I powtarzała do znudzenia:

– Pieniądze to szczęście, a cała reszta to gówno.

W każdą pierwszą niedzielę miesiąca Anastazja nabywała kupon Loterii Państwowej. To właśnie było powodem, dla którego trzymała w domu kozę. Jako kobieta niezwykle przesądna, wierzyła święcie, że kozie racice przynoszą szczęście. Będąc w posiadaniu kozy, miała cztery racice, i jeszcze na dodatek mleko, które było bardzo smaczne. Zanim się udała na spoczynek, zabierała kozę do swego pokoju i tam się z nią zamykała. Dzieci twierdziły, że pije mleko wprost z wymion. Jakkolwiek nikt tego nie widział, prawdą jest, że rano wstawała z mlecznymi wąsami. A uśmiech na jej twarzy widywano jedynie wtedy, gdy wyobrażała sobie, co zrobi z pieniędzmi, które wygra na loterii: dom tylko dla niej, plastry na uśmierzanie bólu tych przeklętych korzonków i mnóstwo skarpet do trzymania pieniędzy. Ale przede wszystkim pojechałaby gdzieś daleko.

– W dniu, kiedy wygram, wszystkich was tu zostawię. Dość się mnie już naoglądaliście.

Za każdym razem, kiedy nie wygrywała – to znaczy zawsze – srała na wszystko. I fundowała niezłego kuksańca kozie, za to, że nie przyniosła jej szczęścia.

Radosna spojrzała na gwiazdy i zapytała:
– Czy łzy z drewna przynoszą szczęście?
Zadała to pytanie, kiedy usłyszała z ust Anastazji, że dotykanie drewna przynosi szczęście. Pomyślała o Chrystusie, który ją wyzwolił od ojca.

„Nikt nigdy nie słyszał tak smutnej historii. Mężczyzna, kobieta i najprawdopodobniej miłość wszech czasów – najbardziej namiętna i niemożliwa, jaka kiedykolwiek istniała. Słuchająca tej historii dziewczyna poczuła taki smutek, że nie mogła powstrzymać łez. Poszła do domu wzruszona, nie mogąc wyrzucić z pamięci owej opowieści o kobiecie i mężczyźnie. Opowiedziała ją matce, która zareagowała podobnie – nieutulonym płaczem.

Nazajutrz dziewczyna i matka opowiedziały tę smutną historię swym przyjaciółkom, które z kolei przekazały ją przyjaciołom i znajomym, ci zaś podali ją dalej i w przeciągu kilku dni opowieść dotarła do tysięcy osób.

Nawet ludzie niesklonni zazwyczaj do wzruszeń, słuchając jej, szlochali, a w miarę jak zataczała coraz szersze kręgi, stawała się coraz smutniejsza – wszak wiadomo, że wszyscy nieco przesadzają. Nikt nie mógł zapomnieć tej historii, która dosłownie zarażała smutkiem; jedynym sposobem dla jego ukojenia było opowiadanie jej innym. Tak oto przemierzyła miasta, wioski, przekroczyła granice państw, oceany. I nadeszła chwila, kiedy dotarła do najdalszych zakątków planety. Nikt nie mógł myśleć o niczym innym niż o owej smutnej historii miłości: spikerzy radiowi płakali przed mikrofonami, kierowcy środków miejskiego transportu nie mogli prowadzić, gdyż oczy ich zamglone były od łez, nauczyciele, szlochając, opowiadali historię uczniom, którzy z kolei, także tonąc w smutku, przekazywali ją swym rodzinom. Ludzie płakali coraz rzewniej. I mimo że łzy prawie nie zajmują miejsca, to jeśli weźmiemy pod uwagę, że płakały miliony osób w tym samym czasie, możemy zrozumieć, dlaczego świat zaczął tonąć".

Radosnej nie poruszyła w najmniejszym stopniu historia, którą opowiedział jej Mikołaj. W rzeczy samej nawet nie wysłuchała jej w całości. Po prostu usnęła. Od kiedy zamieszkała w domu Anastazji, była kompletnie wykończona. Całe dni schodziły jej na pracy i prawie nie mogła widywać swego przyjaciela. Spotykali się jedynie w niedziele, kiedy Anastazja – o ile nie była wściekła – dawała Radosnej wychodne albo szła odwiedzić swe córki: a nuż uda się podprowadzić im trochę pieniędzy. Od śmierci rodziców Radosna zamknęła się jeszcze bardziej w swym świecie. Mikołaj nigdy nie miał zapomnieć dnia, w którym ujrzał ją na ugorze z ostrzyżoną głową. W przeciwieństwie do wszystkich znajdował ją piękniejszą niż dawniej. Jej cudne oczy były jeszcze wyrazistsze.

Gdy Radosna zasypiała, Mikołaj patrzył na nią z czułością i zbliżał dłonie do jej głowy, do twarzy, uszu, piersi, które już stały się dwoma prześlicznymi pagórkami. Zamykał oczy i wyobrażał sobie, że dziewczyna należy do niego. Jednak nie śmiał jej dotknąć. Mikołaj nade wszystko pragnął jej pomóc, wziąć w ramiona i pocieszyć. Lecz o ile przedtem niemal nie można było się do niej zbliżyć, teraz okazało się to całkowicie niemożliwe. Radosna wyglądała na coraz bardziej przerażoną, broniła się gwałtowniej niż kiedykolwiek. Prawie się nie odzywała. Mikołajowi jej cierpienie sprawiało ból. Jej ciało poobijane i całe w sińcach, jej dłonie szorstkie i popękane.

Nieraz, kiedy Mikołaj przychodził na ugór później niż Radosna, słyszał jej krzyki, i to także sprawiało mu ból. Nie tylko dlatego, że nie mógł znieść jej cierpienia, ale też i dlatego, że były tak donośne, iż jego uszy nie wytrzymywały i musiał je zatykać. Z rozkrzyżowanymi ramionami i zamkniętymi oczyma Radosna darła się co sił w płucach. Mógł również usłyszeć całą gorycz, wydobywającą się z jej wnętrzności – nieszczęsny żołądek dziewczyny protestował głośno, wydając dźwięki nieznośnie przejmujące i bolesne.

– Płacz, Radosna. Musisz sobie ulżyć. Poczujesz się dużo lepiej.

Radosna próbowała, lecz nie była w stanie zapłakać. Spuszczała wzrok.

– Nie mogę.

Mikołaja także ogarniała wściekłość; nie mógł jej pomóc. Oddałby nawet życie, żeby tylko ją ujrzeć płaczącą. Powiedział jej o tym szczerze, z głębi serca:

– Gdybym wiedział, że widząc mnie umierającego, uroniłabyś choć łezkę, byłbym gotów za ciebie umrzeć.

Radosną bardzo poruszyło tak piękne zdanie. Mikołaj nie powiedział tylko jednego: że je wyczytał w książce – zdobywanie serca Radosnej kosztowało go tyle trudu, że nie mógł sobie pozwolić na luksus ujawniania swych sekretów. I powtarzał:

– Za jedną łzę twoją życie mógłbym oddać.

Radosna opowiedziała mu, że w dniu, kiedy umarła jej matka, uroniła parę łez. Ale nie mogła ich nawet obejrzeć. A ojciec zbił ją właśnie po to, żeby płakała. Przypominała sobie oczy Romancjusza Cierpliwego, w których malowała się chciwość. Tamtego dnia Radosna przysięgła sama przed sobą, że nigdy już więcej nie zapłacze.

Mimo wszystko Mikołaj kochał ją niestrudzenie. I niestrudzenie powtarzał Radosnej, że ją kocha. Wówczas ona spuszczała wzrok. Mikołaj nalegał:

– Któregoś dnia mnie pokochasz?

Radosna nigdy nie odpowiadała na to pytanie. Nadal nie wiedziała, co to znaczy być zakochaną.

– Jeśli nie otworzysz swej szkatułki, nigdy nie będziesz mogła kochać.

Radosna lubiła tego chłopca. Poznanie go było jedyną dobrą rzeczą, jaka jej się w życiu przydarzyła. Lecz go nie kochała. Ponadto bardziej niż kiedykolwiek pragnęła uciec od tego nędznego życia, którego doświadczyła na własnej skórze. Marzyła, że wyjedzie do miasta i będzie miała dużo pieniędzy. A przede wszystkim dom z łazienką. Mikołaj zaś pragnął jedynie pojechać do wioski, w której mieszkał jego dziadek, i ujrzeć na własne oczy meteoryt, który spadł w pobliżu domu. I – czemuż by nie? – podróżować po świecie i rozwijać interes z kamieniami z Księżyca. Nie chciał nawet mieć domu, w którym mógłby mieszkać.

– Nie ma piękniejszego dachu nad głową od rozgwieżdżonego nieba.

Radosna mówiła mu, że nigdy nie wydobędzie się z nędzy, sprzedając kamienie z Księżyca. Mikołaj odpowiadał:

– Może i nie, ale jakież to piękne zajęcie.

Pewnego dnia Mikołaj rzekł do Radosnej:

– Dlaczego właściwie nie pojedziemy razem gdzieś daleko stąd i nie rozpoczniemy nowego życia?

Radosna pomyślała, że Mikołaj oszalał z kretesem.

– Jakże byśmy tam żyli?

– Miłością. Nauczyłbym cię kochać.

Radosna spuściła wzrok.

– Miłością się nie najesz.

Na twarzy Mikołaja wykwitł szeroki uśmiech.

– Może i nie, ale nie ma na świecie nic piękniejszego.

Część druga

Łzy ze złota

Dwunasty lutego był smutnym dniem dla Radosnej. Inne dni tego pieskiego życia, jakie wiodła, nie były dla niej specjalnie radosne, ale przynajmniej miała Mikołaja Delfina. A oto i jego także miała stracić. I to na długi czas. Chłopiec chciał się uwolnić od swej matki, która była w gorszym stanie niż kiedykolwiek – od kilku miesięcy sypiała z prochami ojca; Mikołaj słyszał jęki rozkoszy, całkiem jakby się z nimi kochała. Pragnął się też przekonać, czy jest w stanie żyć bez Radosnej. Zawsze będzie ją kochał, jednak z wolna tracił nadzieję, że ją zdobędzie. Ostatnio miewał sny erotyczne, przede wszystkim śniły mu się jej piersi, i budził się spocony, pragnąc się z nią kochać. Dotkliwiej niż dotychczas pożądanie wypowiadało mu wojnę – aby zaś skutecznie walczyć ze zwierzęcymi instynktami, najlepiej zaangażować się w wojnę innego rodzaju. W wieku siedemnastu lat zgłosił się na ochotnika do wojska. Przy okazji pozna nowe miejsca. Pożegnali się w niedzielę przed wyjazdem młodzieńca.

– Któregoś dnia mnie pokochasz?

Radosna musiała spuścić wzrok. Wówczas Mikołaj spróbował ją pocałować. I nigdy nie był tak blisko celu. Lecz w tym właśnie momencie pojawił się wujek Filip. Szukał siostrzenicy dosłownie wszędzie. Był bardzo zdenerwowany i Radosna wyczuła, że przynosi jakąś złą nowinę.

– Anastazja chce cię natychmiast widzieć. I nie ma z nią żartów.

Doprawdy babka musiała być strasznie wściekła, skoro Filip wygłosił taki komentarz. Radosna była bliska płaczu, opuszczając Mikołaja. Ale nie rozpłakała się. Na samą myśl, że ma zaraz stanąć oko w oko z Anastazją, krzepła jej krew w żyłach.

Gdy dotarła do domu, ujrzała babkę Anastazję wyjmującą butelkę likieru. A czyniła to jedynie przy specjalnych okazjach. Jasne było, że oczekiwali wizyty.

– Gdzieżeś się u diabła podziewała? Idź umyć ręce!

Radosna domyśliła się, że dzieje się coś dziwnego i że ma to z nią jakiś związek. Anastazja przyczesała się, a poza tym nigdy dotąd nie zaprzątała sobie głowy wyglądem rąk wnuczki. Podniosła głos.

– Powiedziałam ci, żebyś się ogarnęła. I zepnij te włosy, bo wyglądasz jak jakiś kurwiszon.

Kiedy Radosna szła do kuchni, by umyć ręce, babka dorzuciła:

– Twój przyszły małżonek zaraz nadejdzie.

Radosna oniemiała – teraz naprawdę krew skrzepła jej w żyłach.

– Nie chcę wychodzić za mąż.

Anastazja wymierzyła jej policzek.

– Zrobisz tak, jak ci każę. To ja dawałam ci jeść, od kiedy umarli twoi rodzice. Ty niewdzięcznico!

W tej chwili otwarły się drzwi domu i ukazał się w nich młodzieniec w wieku około dwudziestu lat. Ze swego ukrycia Radosna spojrzała na niego ze wstrętem. Był chudy niczym szkielet, miał wyłupiaste oczy i pocił się obficie. Anastazja aż się uśmiechnęła na jego powitanie.

– Proszę usiąść, zaraz przyjdzie moja wnuczka.

Był to uśmiech za sto reali, które miała otrzymać, wydając ją za mąż. Anastazja poszła szukać wnuczki, która zamknęła się w spiżarni. Musiała ją dosłownie przywlec do jadalni.

– Zrobisz, jak ci każę, suko – zasyczała jej do ucha.

Radosna usiadła obok młodzieńca, lecz nawet nań nie spojrzała. Anastazja zagaiła:

– Moja wnuczka marzy o zamążpójściu, nieprawdaż, Radosna?

– Nie.

Dziewczyna otrzymała silnego kopniaka pod stołem. Anastazja posłała młodemu człowiekowi kolejny uśmiech za sto reali, które miała dostać, jeżeli tylko wnuczka nie spieprzy jej całego planu.

– Otóż wnuczka marzy o zamążpójściu, nieprawdaż, Radosna?

– Nie.

Uderzenie w głowę.

– Jedyny problem z moją wnuczką to taki, że trzeba ją nieco wytresować. Ale będzie dobrą żoną, nieprawdaż, Radosna?

– Nie.

Anastazja powoli traciła cierpliwość; poszła po patelnię i zaczęła nią okładać Radosną, nie przestając na nią wrzeszczeć.

– Powiedz natychmiast temu młodzieńcowi, że chcesz za niego wyjść.

Narzeczony obserwował tę scenę z otwartą gębusią. Uderzenia patelnią, które spadały na Radosną, były brutalne. Jednak przedstawienie dopiero się zaczęło. Nagle poczuł, że ktoś go liże po szyi. Był to Filip, który go w ten sposób witał. Młodzieniec zerwał się na równe nogi i poczuł coś niezbyt ciężkiego na swej stopie: koza narobiła mu na but, a dla większego pomieszania z poplątaniem Inez Maria dołączyła się do zabawy, krzycząc:

– Nie wychodź za mąż, Radosna, wszyscy faceci to łajdaki.

Wytrzeszczywszy oczy, młodzieniec gapił się na tę rodzinę wariatów. W dodatku Radosna zaczęła się drzeć.

– Ani myślę wychodzić za mąż.

Teraz Anastazja wrzeszczała na swe dzieci:

– Precz mi stąd!

Tym, który postanowił uciekać co sił w nogach, był niedoszły narzeczony. Anastazja zauważyła, że kieruje się ku drzwiom.

– Dokąd idziesz? Przyjdź jutro.

Młodzian nic nie powiedział, lecz pomyślał, że woli umrzeć, niż pokazać się choćby raz jeszcze w tym domu. Łatwo można sobie wyobrazić burę, jaką otrzymała Radosna, bo zrobiła coś najgorszego, co mogła: rozdarła się jeszcze głośniej. Anastazja znów złapała patelnię i zaczęła nią okładać wnuczkę.

– Wyjdziesz za niego, jakem Anastazja.

Zamknęła ją w spiżarni.

– Kiedy będziesz gotowa do zamążpójścia, wtedy cię wypuszczę.

Radosna usiadła w kucki na ziemi. Pomyślała o swej matce, o jej nędznym życiu. Pomyślała także o Mikołaju: nie zobaczy go tak długo. Właśnie wtedy zapragnęła wybuchnąć płaczem i uczyniła to: jej oczy jęły ronić łzy, jedną po drugiej. Poczuła się jakoś dziwnie, a jednocześnie dreszcz przebiegł przez jej policzek: nie wiedziała, że łzy są tak zimne. Chciała ich dotknąć, skosztować jednej z nich, chciała się dowiedzieć, czy są słone, jak łzy jej matki. Wówczas zdała sobie sprawę, że jej łzy nie są normalne: nie miały w sobie wody. Położyła je na dłoni. Były ze stałej materii, masywne, lśniące, i wyglądały na złote. W tej chwili Anastazja weszła do spiżarni i ujrzawszy łzy, rozdziawiła usta. Złapała jedną, leżącą na podłodze, i ugryzła ją; zaraz przekonała się, że jest ona twarda, ze złota. Zaczęła krzyczeć z radości. Jedna po drugiej złote łzy toczyły się po policzkach Radosnej, podczas gdy dziewczyna jęczała:

– Już nie mogę.

Anastazja za to była ogromnie szczęśliwa; przy tej dziewczynie nigdy nie zazna kłopotów z pieniędzmi. Ucałowała raz i drugi kozę. Zwierzę, zdumione czułością, jakiej jego pani nigdy mu dotąd nie okazała, zaczęło merdać ogonem jak pies.

– Nareszcie przyniosłaś mi szczęście. W końcu wygrałam na loterii.

Anastazja podeszła do Radosnej, żeby przyjrzeć się jej oczom. Kolejna łza spływała po policzku dziewczyny. Na twarzy babki wykwitł uśmiech za tysiąc reali, na które mogła liczyć dzięki łzom wnuczki. To, co właśnie ujrzała, sprawiło, że zapomniała nawet o swych przeklętych korzonkach; była w stanie schylić się, jakby była dzierlatką: zaczęła zbierać łzy, które upadły na ziemię. Przekonawszy się, że wszystkie są ze złota, wybuchnęła śmiechem. Radosna, zmieszana, przestała płakać i popatrzyła na nią ze zdumieniem. Anastazja złapała ją za ramię, ściskając z całej siły.

– Musisz więcej płakać.

Radosna przypomniała sobie, jak ojciec zbił ją, żeby zapłakała; teraz pojęła, dlaczego: owego dnia z oczu jej również płynęły łzy ze szczerego złota.

– Powiedziałam ci, że masz nadal płakać.

Jako że Radosna nie usłuchała, zaczęła okładać ją miotłą. Dziewczyna osłaniała się ramionami i broniła wrzaskiem, lecz oberwała raz i drugi. Choć z racji swej młodości łatwo poradziłaby sobie ze starą, nie uczyniła tego. W końcu to jej babka. Kolejne uderzenie było tak potężne, że Inez Maria zbliżyła się do nich i stanęła w obronie Radosnej. Złapała nóż i wbiła go w ramię Anastazji, która upadła na ziemię, wyjąc z bólu. Inez Maria krzyknęła do Radosnej:

– Uciekaj stąd i nie wracaj!

Dziewczyna przyglądała się przez chwilę swej ciotce: zawsze myślała, że Inez Maria ją zabije, a tu się okazało, że uratowała jej życie. Uśmiechnęły się do siebie. Potem Radosna wybiegła z domu.

Inez Maria wróciła do spiżarni. Spojrzała na matkę, wijącą się z bólu na podłodze. Zamierającym głosem Anastazja wyszeptała do córki:

– Pomóż mi, nieszczęsna istoto.

Inez Maria uśmiechnęła się i pomogła matce – lecz nie przeżyć, tylko wręcz przeciwnie. Trzynaście ciosów nożem w pierś wystarczyło. Krew płynęła z serca Anastazji, bulgocząc. Filip zbliżył się do matki i z jękiem zaczął zlizywać jej krew.

Było wpół do pierwszej nad ranem, kiedy Anastazja wydała ostatnie tchnienie. Dokładnie wtedy, gdy rodził się kolejny dzień, trzynasty lutego.

Zanim Inez Maria włożyła matkę do trumny, zabrała jej ślubną obrączkę. Już na nic jej się nie przyda. Radosna nie dowiedziała się nigdy, że tego dnia, po części z winy jej złotych łez, jej babka umarła. I dzięki Bogu, bo tylko tego brakowałoby jeszcze do szczęścia biednej Radosnej.

Radosna spojrzała na gwiazdy i zapytała:
– Smutek jest błękitnej barwy?
Rozgwieżdżona noc miała zapach smutku.

Radosna wędrowała calutką noc. A kiedy świtało, dotarła do Złodziejskiego Miasteczka. Nigdy w życiu nie zaszła tak daleko; przemierzyła ponad dwadzieścia kilometrów. Wstawał chłodny poranek. Kompletnie wyczerpana usiadła w podcieniu jednego z domów i znów zapłakała. Cóż za smutne życie. Tym razem uroniła dziesięć złotych łez, a uczyniwszy to, poczuła się lepiej. Kiedy chowała łzy do kieszeni, ścisnęło ją w żołądku. Musiała natychmiast coś zjeść. Wtedy spojrzała na złoto: jeżeli jest prawdziwe, może je sprzedać. Weszła do pierwszego baru, jaki napotkała. Ślinka jej napłynęła do ust, gdy zobaczyła oszkloną ladę pełną pieczonych kurczaków.

Podszedł do niej kelner.

– Chciałabym coś zjeść.

Zmierzył ją wzrokiem od stóp do głów: była brudna i nie wyglądała na taką, co to może mieć pieniądze. Kelner miał już dosyć świadczenia miłosierdzia. Nie było dnia, w którym nie pojawiłby się jakiś żebrzący nieszczęśnik.

– Masz pieniądze, mam nadzieję?

Radosna włożyła rękę do kieszeni.

– Pieniędzy nie mam, ale mam to.

Otwarła dłoń, pokazując kelnerowi dwie złote łzy. Mężczyzna popatrzył na nią sceptycznie:

– Są złote?

Przytaknęła. Stojąca obok kelnera mniej więcej siedemdziesięcioletnia niewiasta z ciekawością przyglądała się łzom.

– Rzeczywiście wyglądają na złote.

Tak oto Radosna otrzymała za dwie łzy jedynie talerz fasolki, trzy połówki kurczaka, sześć szklanek lemoniady i pięć porcji budyniu; nie zjadła tego wszystkiego, lecz raczej pożarła, a uczyniła to z takim zapałem, że potem aż jej się odbiło; kelner i staruszka gapili się na nią w osłupieniu.

Kiedy wyszła z restauracji, starowinka poszła za nią.

– Gdzie ukradłaś te złote łzy?

Staruszka wiedziała, że siedemdziesięcioletniej babuleńce ludzie będą okazywać miłosierdzie. Wówczas brała laskę i okładała nią swe ofiary. Jeśli myślała, że tą taktyką zwiedzie Radosną, grubo się myliła. Nie na darmo dziewczyna miała za babkę Anastazję – jeżeli komuś nie ufała, to właśnie staruszkom. Uciekła co sił w nogach, kierując się do pensjonatu. Jedna łza wystarczyła jako zapłata za pierwszą noc. Nazajutrz poszła do lichwiarza, otrzymując niezłą sumkę za czterdzieści łez, jakie mu oddała.

Dzięki swym łzom Radosna mieszkała kilka tygodni w pensjonacie. Właściwie można powiedzieć, że wegetowała. Ze strachu wychodziła ze swego pokoju tylko na posiłki. Nie wiedziała nawet, co ma robić z pieniędzmi. W całym swym życiu miała dotąd jedynie pięć reali, które podarował jej Mikołaj. Teraz była w posiadaniu ponad pięciuset, ale nie wiedziała, na co je wydać, dokąd iść, po co żyć. Co prawda za każdym razem, gdy płakała, czuła się jakoś lepiej. Jej żołądek nie hałasował, a jelita funkcjonowały prawie doskonale. Ponadto w pensjonacie była na korytarzu toaleta, której mogła używać do woli i gdzie nikt jej nie przeszkadzał. I spała w mięciutkim łóżku – wreszcie mogła się wygodnie wyciągnąć. Lecz była bardzo samotna. Ni z tego, ni z owego przypomniała sobie o Mikołaju. W rzeczy samej miał rację; pamiętała jego słowa, jak dobrze jest płakać. A w dodatku jej łzy były ze szczerego złota. Tak bardzo za nim tęskniła. Za każdym razem, gdy o nim pomyślała, czuła ukłucie w sercu. Tak oto Radosna pojęła, że koniec końców zakochała się w Mikołaju. Wyglądała przez okno i śpiew ptaków wydawał jej się bardziej harmonijny, aromat kwiatów bardziej intensywny, słońce mocniej lśniło, a powietrze, którym oddychała, było wręcz cudowne. Czerwień stała się bardziej czerwona, błękit – błękitniejszy, a róż bardziej różowy. Wszystko wydawało jej się piękniejsze. Spojrzała na niebo i znów pomyślała o Mikołaju. Naraz poczuła wielką gorycz na myśl, że pozwoliła mu odjechać. Postanowiła go odszukać. Tak, pojedzie do Horąrzufki Cyrólika – miasta, gdzie Mikołaj odbywał służbę wojskową. Powie mu, że go kocha.

Na stacji panował wielki ruch, wszędzie pełno było handlarzy, sprzedawców, matek z dziećmi, kur, podróżnych kufrów. Radosna była przerażona; nigdy dotąd nie podróżowała sama po świecie. Widok tłumu wzbudzał w niej prawdziwą panikę, bała się, że ktoś ją uderzy; przypomniała sobie, jak kurczowo czepiała się matczynej ręki, gdy chodziły z Manuelą do miasteczka. Teraz była sama, lecz niedługo będzie miała u swego boku Mikołaja. Zanim wsiadła do wagonu, podarowała pięć reali żebrzącemu starcowi; resztę jej ukradziono, a ona nawet tego nie zauważyła. Próbowała zapłakać, żeby kupić sobie coś do jedzenia, czuła się jednak zbyt szczęśliwa, by móc to uczynić. Nie zważała jednak na to, bo karmiła się samą miłością. Weszła do wagonu i zdumiała się wielce – był bardzo piękny, miał nawet przedziały. Usiadła: siedzenie było obszerne i niezwykle wygodne, wyściełane aksamitem. Radosna nie wiedziała, że jest to wagon pierwszej klasy i że wpakowała się, gdzie nie powinna. Kontroler dosłownie ją wykopał. Musiała iść do trzeciej klasy, i choć to nie było to samo, ogarnęła ją głęboka fascynacja, kiedy tylko pociąg ruszył; po raz pierwszy podróżowała w taki sposób. Godzinami podziwiała krajobrazy, myśląc sobie, że dzięki pieniądzom za swoje złote łzy będzie mogła przemierzyć te wszystkie miejsca z Mikołajem. Prawie nie spała – w zatłoczonym wagonie trzeciej klasy nie było to łatwe – i spędziła większą część podróży na stojąco, oddała bowiem swe miejsce jakiemuś zgrzybiałemu starcowi, który ją w dodatku ofuknął, że zostawiła po sobie nagrzane siedzenie.

Horązrzufka Cyrólika, miasto wojskowych, nazwę swą zawdzięczała chorążemu Janowi Cyrulikowi; był on inicjatorem jednej z najbardziej epickich bitew ostatniej wojny domowej, w której ponadto oddał życie. Po wojnie żołnierze z jego batalionu postanowili się tu osiedlić i założyć miasto jego imienia: Horązrzufkę Cyrólika, wykazując w ten sposób, że o wojnie z pewnością wiedzieli mnóstwo, lecz o ortografii malutko. Wszystkie ulice i place nosiły nazwy związane z wojskiem. Radosna wyszła z dworca kolejowego Niezwyciężonej Harmady i poszła prosto do Regionalnych Koszar Jeneralnych; znajdowały się one na Placu Watalionu 20. Stycznia. Przedtem jednak udała się do dworcowej toalety, aby doprowadzić się do porządku. Przejrzała się w resztkach lustra – po podróży wyglądała naprawdę na zmęczoną. Pomyślała, że niedobrze będzie, jeżeli Mikołaj zobaczy ją w tym stanie. Umyła twarz i poczuła się lepiej. Rozplotła warkocz i rozpuściła włosy. Teraz wydawała się sobie bardziej kobieca. Całe zmęczenie ulotniło się, kiedy zobaczyła fasadę koszar Horązrzufki Cyrólika. W miarę jak się do nich zbliżała, serce jej biło coraz szybciej, przyspieszała również kroku. Dwaj żołnierze stojący na warcie przy drzwiach poinformowali ją, że Mikołaj odbywa karę. Będzie mogła go zobaczyć dopiero nazajutrz. Okazało się, że podczas warty oddawał się kontemplacji nieba, zamiast patrzeć przed siebie. Wszyscy towarzysze chłopca wiedzieli o jego niebiańskiej pasji. Znany był jako Gwiezdny Żołnierz.

Włócząc się po mieście, Radosna zatrzymała się na parę godzin przed kościołem pod wezwaniem Wojska Hrystósowego; ujrzawszy nowożeńców, wyobraziła sobie siebie samą w bieli, promieniejącą szczęściem. Poczekała, aż młodzi wyjdą z kościoła, i popatrzyła, jak ich obrzucają ryżem. Bezpański pies połykał spadające na ziemię ziarenka. O zmierzchu zaczęła szukać ławki w parku, żeby się na chwilę położyć. Z tego miejsca widziała koszary – a nuż Mikołaj wyjdzie wcześniej. Gwiezdny Żołnierz, cóż za piękny przydomek. Spróbowała zapłakać, żeby sobie kupić coś do jedzenia, ale nie zdołała tego uczynić. Sama myśl, że spotka się z Mikołajem, czyniła ją nazbyt szczęśliwą. Przypomniała sobie noce, kiedy ojciec wyganiał ją z domu, aby być z matką, teraz jednak nie miała koców do okrycia. Musiała zmierzyć się z zimnem, samotnością nocy, a także eksgenerałem Stuletnim – przegonił ją kopniakami z ławki, którą uważał za swą własność. Mieszkał w parku i całą duszą oddawał się jego obronie. Miał coś z głową, a także ze wzrokiem. Wszystko, co tylko poruszało się przed jego oczyma, uważał za wroga ojczyzny.

Radosna uciekła przerażona, schowała się pod drzewem i czekała. A jeśli zniosła wszystko, co znieść musiała, to jedynie z miłości. Poczuła się szczęśliwa z tego powodu: wiedziała, że im więcej wycierpi, tym większe będzie jej szczęście, gdy ujrzy ukochanego. Wstała wraz z dniem i zanim udała się na spotkanie, poszła do toalety na dworcu, aby się nieco odświeżyć. Spędziła, bez przesady, godzinę i czterdzieści minut na szczotkowaniu włosów. Potem wróciła do Regionalnych Koszar Jeneralnych. Kilka dziewcząt oczekiwało już swych żołnierzy. Mężczyźni zaczęli powoli wychodzić z budynku. Radosna patrzyła, jak się witają ze swymi ukochanymi: tulili się do siebie, całowali namiętnie. Wtedy właśnie zobaczyła Mikołaja w wojskowym mundurze; był naprawdę niezmiernie elegancki. Kiedy się zbliżał do Radosnej, pomyślała, że wszystko jej się w nim podoba. Włosy ostrzyżone na zero. Blask jego twarzy. Głowa pełna gwiazd. Sposób chodzenia. Tak. Uwielbiała jego nogi, ramiona, jego ciepły głos, jego spojrzenie, kochała nawet jego wady. Mikołaj nie miał ochoty pracować, ale z jej złotymi łzami nigdy im nie zabraknie pieniędzy.

Mikołaj otwarł usta na jej widok. Co robi Radosna w Horązrzufce Cyrólika? Przez kilka chwil jej się przyglądał. Była naprawdę piękna, a szeroki uśmiech rozjaśniał jej twarz – nigdy jej nie widział tak promiennej.

– Co tu robisz?

Oczy Radosnej się rozświetliły.

– Przyszłam się z tobą zobaczyć.

Mikołaj wyglądał, jakby mu mowę odjęło. Radosna podeszła bliżej.

– Chcę, żebyś nauczył mnie kochać. Chcę otworzyć moją szkatułkę.

Zamknęła oczy w oczekiwaniu pocałunku Gwiezdnego Żołnierza. On jednak tkwił w miejscu, nieruchomy niczym posąg. Radosna otwarła oczy; do tej pory nie widziała, by Mikołaj zachowywał się z taką rezerwą.

– Czyżbyś już mnie nie kochał?

Chłopiec spuścił wzrok.

– Nigdy nie przestanę cię kochać.

Radosna znowu się uśmiechnęła.

– Powiedziałeś mi, że kiedy tylko raz zapłaczę, to mi już nie minie. Już mogę płakać. A poza tym mogę mieć pieniądze. Mnóstwo pieniędzy.

Gwiezdny Żołnierz stał nieporuszony.

– Wiesz przecież, że pieniądze mnie nie interesują. Jeśli chcesz, możemy się spotkać wieczorem. Ale teraz idź stąd, proszę.

Idź stąd. To słowo wbiło się w jej serce. Zgasł uśmiech na twarzy Radosnej. Domyśliła się, że być może w życiu Mikołaja jest inna kobieta. Spodziewaj się najgorszego, a na pewno się ziści. W tym momencie podeszła do nich jakaś dziewczyna. Miała na imię Maria. Mikołaj poznał ją podczas pierwszej przepustki i teraz ze sobą chodzili. Maria przytuliła się do chłopca i pocałowała go namiętnie. Radosna poczuła, jak wnętrzności jej się skręcają. Gwiezdny Żołnierz w końcu zdołał się oderwać od Marii. Za późno. Radosna zraniona została zbyt boleśnie. W dodatku Maria była bardzo piękna i to Radosną zabolało jeszcze bardziej. Uciekła co sił w nogach, zagubiona, wyczerpana, oszalała z bólu, kipiąca wściekłością, bezsilna, pragnąca śmierci. Raz po raz powtarzała sobie, że to niemożliwe, by Mikołaj był z inną kobietą.

Przeklęta kobieca intuicja.

Mikołaj chciał za nią pobiec, lecz nie mógł. Maria złapała go za rękę i spytała:

– Kim ona była?

Chłopak spuścił wzrok.

– Przyjaciółka z dzieciństwa.

– A czemu uciekła tak szybko?

Mikołajowi zaszkliły się oczy.

Radosna dotarła do parku i usiadła na ławce. Samotna, absolutnie pusta. Oczy pełne miała smutku; zaczęły z nich płynąć złote łzy. Nagle usłyszała, że ktoś się do niej zbliża. Stał przed nią żebrak. Radosna spojrzała na niego przerażona. Spodziewaj się najgorszego, a na pewno się ziści. Wyrwał jej wszystkie złote łzy i patrzył na nie pożądliwie.

– Masz więcej złota? – Zamierzył się, chcąc ją uderzyć. – Albo mi powiesz, skąd bierzesz złoto, albo cię zabiję.

Radosna zamknęła oczy w oczekiwaniu na cios. Lecz oto w tym momencie pojawił się eksgenerał Stuletni. Ścisnął żebraka za szyję tak gwałtownie, że tamten zdecydował się oddać mu złote łzy. Eksgenerał wpadł w furię. Z powodu słabego wzroku sądził, że owe łzy były pociskami nieprzyjaciela, i rzucił się na żebraka. Obaj zwalili się na ziemię, eksgenerał chciał go zabić. Radosna mogła uciec.

Zrozpaczona, biegnąc bez tchu, dotarła na stację. Zamknęła się w toalecie, a gdy zobaczyła, jak strasznie wygląda, zaczęła jeszcze bardziej płakać. Dwie złote łzy starczyły do przekonania kasjera, że może je wymienić na bilet na pociąg.

– Dokąd pani jedzie?

Radosna wzruszyła ramionami. Pragnęła uciec, lecz nie wiedziała dokąd. Nagle przyszło jej na myśl, że chciałaby zobaczyć morze. Tak, pojedzie do jakiegoś miasta na wybrzeżu.

– Chcę zobaczyć morze.

Tym razem kasjer wzruszył ramionami.

– Ale dokąd chce pani jechać?

– Do jakiegoś miasta blisko morza.

W końcu kasjer wręczył jej bilet do Wonnego Miasta. Dała mu jeszcze dwie łzy, by móc jechać wagonem pierwszej klasy. Coś w końcu trzeba mieć ze swego nieszczęścia. Czekając na pociąg, popatrywała z lękiem na ludzi, zupełnie jakby wszyscy mieli zamiar zrobić jej krzywdę. Wśród pasażerów dostrzegła żołnierza odwróconego plecami: przez parę sekund zdawało jej się, że to Mikołaj. I znów musiała iść do toalety. Uroniła jeszcze kilka łez i schowała je do kieszeni.

Podróż trwała trzynaście godzin – aż nadto, by Radosna mogła przemyśleć wszystko, co się jej przydarzyło. Wciąż myślała o Mikołaju i musiała chodzić wiele razy do toalety, i – cóż za zbieg okoliczności – za każdym razem wypłakać trzynaście łez. Na szczęście nigdy się nie dowiedziała, że jej miejsce miało numer trzynasty, tak samo jak wagon i peron, na którym wsiadała. Właśnie był trzynasty, a pociąg odjeżdżał o trzynastej trzynaście. Bo rzeczywiście tylko tego brakowałoby jeszcze do szczęścia biednej Radosnej. Przynajmniej mogła odpocząć, siedząc w wygodnym przedziale pierwszej klasy. Konduktor spojrzał na nią ze zdumieniem: sądząc po wyglądzie dziewczyny, zapewne uznał, że pomyliła wagony. Radosna bez słowa pokazała mu bilet. Jej matka miała rację. Nie można ufać ludziom: od tej chwili nie odezwie się do nikogusieńko. Swą nową taktykę wypróbowała wobec mężczyzny siedzącego z nią w przedziale. Przez calutką podróż zadawał jej pytania i musiał pomyśleć, że dziewczyna ani chybi jest stuknięta albo źle wychowana, czy też może niema, bo nie odpowiedziała mu na żadne z nich.

Od razu po przybyciu do Wonnego Miasta poszła zobaczyć morze. Ogarnęło ją głębokie wzruszenie na widok tej ogromnej masy wody, prawdziwie bez kresu. Jej błękitna barwa była smutna, ale bardzo piękna. Fale uderzały rytmicznie o brzeg. Radosna usiadła na piasku i jęła ronić złote łzy. Przypomniała jej się matka i wszystkie te chwile, gdy planowały zobaczyć morze. Manuela miała rację – ta masa słonej wody była fascynująca. Upłynęła prawie godzina, nim Radosna zdecydowała się podejść do samego brzegu. Fale zdawały się zagniewane, roztrzaskiwały się z siłą o piasek. Lecz Radosna zapragnęła spróbować morskiej wody. Zrobiła miseczkę z dłoni, by zaczerpnąć trochę morza. Doniosła parę kropel do ust i skosztowała. Rzeczywiście były słone – jak łzy wszystkich śmiertelników, prócz niej samej.

Właśnie wtedy coś w niebie trzasnęło i zaczął padać ulewny deszcz. Radosna rozkrzyżowała ramiona i pozwoliła wodzie spływać po policzkach. Pomyślała o Mikołaju i poczuła straszny ból w sercu. Łzy niebios mieszały się ze łzami ze złota.

Radosna spojrzała na gwiazdy i zapytała:
– Czy można nienawidzić miłości?
Potem pomyślała o Mikołaju.

Wonne Miasto okazało się duże i piękne – w zapachu morza tonęły wszystkie jego ulice, białe domy stały skąpane w słonecznym blasku, błękit nieba zlewał się z błękitem morza. Miasto posiadało spory port, dzięki któremu rozrosło się i prosperowało podczas ostatniej dekady. Od kilku lat było również znane jako „Drugi Paryż", ze względu na liczbę sklepów otwartych przy głównej alei. Burmistrz Tobiasz Wzorowy także po części ponosił odpowiedzialność za ów przydomek Wonnego Miasta. On to wpadł na pomysł, by zbudować replikę wieży Eiffla w sąsiedztwie ratusza; sfinansować budowę mieli, na mocy dekretu prawnego, wszyscy obywatele. Postanowiono, że wieża będzie drewniana i cztery razy niższa od oryginału, co w zupełności wystarczy. Na nic się zdały protesty uboższych mieszkańców przeciwko wygórowanym kosztom, jakie zakładała owa inwestycja. Kiedy wieża była w połowie gotowa, silna wichura powaliła ją na ziemię, zabijając trzynastu robotników. Wichura ta zniweczyła również karierę polityczną burmistrza, gdy tylko wyszła na jaw fatalna jakość drewna oraz majątek, jaki zagarnął podczas budowy.

Z wypłakanymi łzami Radosna udała się do lichwiarza, którego kantorek znajdował się w centrum miasta. Dzięki otrzymanym pieniądzom mogła sobie pozwolić na pokój w pensjonacie z widokiem na morze. Spała nieprzerwanie ponad dwadzieścia godzin; obudziła się ze szlochem, myśląc o swym smutnym życiu. Mnóstwo złotych łez lśniło w pościeli. Musiała teraz zdecydować, co uczyni ze swym życiem. Wstała i podeszła do okna. Był cudowny dzień, morze wyglądało jak uśpione. Wzięła do ręki złote łzy i przyjrzała im się z uwagą. Nie mogła wyrzucić z pamięci Mikołaja i znów zaczęła płakać. Na ulicy spostrzegła biedaka, błagającego o jałmużnę. Znowu popatrzyła na łzy. Czuła się ogromnie nieszczęśliwa, ale przynajmniej miała pieniądze. Pocieszyła się myślą, że im bardziej będzie nieszczęśliwa, tym większy będzie jej majątek. Ponadto teraz była wolna, mogła robić, co się jej żywnie spodoba i nikt jej za to nie ofuknie. Tak. Będzie żyła ze smutku, ze swego własnego smutku. I korzystała z pieniędzy. Pomyślała o babce Anastazji. A może jednak miała rację. Dzięki pieniądzom ona, Radosna, może osiągnąć szczęście. I do odkrycia ma przed sobą calutki świat. Wyszła na ulicę, pospacerowała główną aleją, dosłownie tonącą w sklepach. Świat leżał u stóp Radosnej, podobnie jak mrówka, która się wspięła na jej but. Nieświadomie zrzuciła zwierzątko na ziemię i rozdeptała.

Spędziła cały dzień, oglądając wystawy, wchodząc do wszystkich sklepów, przymierzając ubrania. Wodziła dookoła zafascynowanym spojrzeniem, wszystko zdawało jej się wprost nie do wiary. Nie było to trudne do pojęcia, zważywszy, jak niewiele widziała do tej pory. W ciągu jednego dnia nabyła piętnaście sukienek, dwa zegarki, siedemnaście par butów, trzydzieści jeden koszul nocnych, trzy pary pończoch, trzysta sześćdziesiąt pięć par majtek, po jednej na każdy dzień roku – oczywiste bowiem było, że teraz, kiedy stała się bogata, jeżeli czegoś z całą pewnością nie będzie robiła, to prać własnej garderoby. Prosiła o zapakowanie wszystkich zakupów w ozdobny papier; potem nad wyraz zabawnie było otwierać pakunki jeden po drugim: nawet kolorowe papiery spowijające rzeczy, które nabyła, wydały jej się bardzo piękne. W swym pokoju jeszcze raz przymierzyła wszystkie sukienki i stanąwszy przed lustrem, poczuła się bardzo dobrze. Następnego dnia również obudziła się z wielkim pragnieniem kupowania. Wystarczą jej na to łzy, jakie wypłakała, myśląc o Mikołaju.

Znowu wybiegła na ulicę. I kupiła więcej niż poprzedniego dnia. I tak nabyła czternaście spódnic, dziesięć par butów, pięćdziesiąt trzy pary pończoch, dwa pudełka kolorowych kredek, jeden kompas, dwadzieścia trzy notesiki, czterdzieści gumek-myszek, osiemnaście breloczków do kluczy, trzy szampony, osiemnaście grzebieni, pięć szczotek do włosów i pierwszą w życiu szczoteczkę do zębów. Nabyła również mnóstwo lalek – których nie mogła mieć w dzieciństwie – ku zdumieniu ekspedientki: klientka wydała jej się bowiem cokolwiek za duża na zabawę lalkami. Sklepikarze witali ją z głębokim ukłonem: była ich najlepszą klientką. A w butiku Paryska Moda, jednym z najelegantszych w mieście, zwracano się do niej per pani. Radosna tak dobrze się czuła, gdy tak do niej mówiono, że kupowała nadal w tym sklepie jedynie po to, by móc słyszeć raz po raz „proszę pani, proszę pani". Kupiła także adapter i ponad pięćdziesiąt płyt. A kiedy za nie płaciła, usłyszała pieśń, która poruszyła ją do głębi: była to *Sekretna łza* z opery *Napój miłosny* Gaetana Donizettiego. I poprosiła, by jej przetłumaczono słowa.

Łzy w oczach jej zabłysły,
Krasne jej lica zrosiły,
Gdy wszystkie się wdzięczyły,
Zazdrości widziałem cień:
Czyż dłużej wątpić mam?
Kocha, ach kocha mię,
Wyraźnie widzę sam.
Słyszeć jej serce bijące,
Z nią dzielić uczucia wrzące,
Tchnienie z jej tchnieniem złączyć.
Ach... Wiecznością niech będzie ten dzień!
Nieba! Gdy śmierć ponieść mam,
Taką tylko niechaj znam.[*]

Nabyła tę płytę, a zanim wyszła ze sklepu, kupiła jeszcze drugą, na wypadek gdyby ta pierwsza się zniszczyła. Wzruszenie Radosnej było najgłębsze, gdy słuchała arii o sekretnej łzie, raz i drugi. Tak bardzo przypominała jej Mikołaja. Naraz jednak zaczynała go nienawidzić i znów tonęła w smutku. Nie roniła jednej pospolitej i sekretnej łzy, lecz wiele, i to złotych. Płakała też jak potępiona następnego dnia, gdy na wystawie ujrzała setki ołowianych żołnierzyków. Wszystkie razem i każdy z osobna przypomniały jej Mikołaja. Kupiła je wszystkie, w sumie pięćset trzydzieści cztery. A wieczorem ułożyła je na swym łóżku, wylewając cały batalion łez.

Pieniądze przyniosły również szczęście jej żołądkowi. Przynajmniej na początku, gdyż po jakimś czasie od nadmiaru jedzenia często cierpiała na niestrawność. Widziała potrawy o tak pięknych nazwach, o tak cudnych barwach, że jadła bardziej

[*] Przełożył Karol Kurpiński.

oczyma niż ustami: zamawiała po trzy zestawy na pierwsze danie, następne trzy na drugie, a na koniec prawdziwym problemem stawał się dla niej wybór deseru. Wszystko jej smakowało. Opychała się słodyczami, nie zważając na to, że z ich winy straci zęby, jak to przepowiadał Romancjusz Cierpliwy. Bo skoro ma pieniądze – i o ile okaże się to konieczne – będzie mogła sobie kupić sztuczną szczękę. I to nie z drugiej ręki, jak te sprzedawane przez jej ojca, tylko nową i jak należy. W ten sposób utyła całkiem sporo i stroje, które niedawno kupiła, już na nią nie pasowały. I znów poszła kupować ubrania, ale tym razem o dwa numery większe. A jej marzenie o domu nad morzem zaczęło się urzeczywistniać. Wpłaciła zaliczkę i zawiadomiła firmę budowlaną, że może rozpoczynać prace. Domek będzie miał maleńki ogródek, dwa piętra i trzy toalety. Za rok wręczą jej klucze. Będzie się nazywał Villa Manuela.

Dzięki pieniądzom mogła sobie także pozwolić na to, czego nigdy dotąd nie robiła. Po raz pierwszy w życiu wsiadła do taksówki; kierowca woził ją przez cały dzień po mieście, lecz nie udało mu się wyciągnąć z klientki więcej niż trzy słowa. Radosnej tak się spodobała jazda taksówką, że przy lada okazji fundowała ją sobie tylko po to, by objechać kilka ulic dookoła. Mogła także pójść do wesołego miasteczka: wskoczyła dwadzieścia osiem razy na diabelski młyn, czterdzieści pięć razy do „tunelu miłości", dwadzieścia trzy razy na karuzelę i tylko raz na zjeżdżalnię: zaczęła tak wrzeszczeć z emocji, aż usłyszał ją sam właściciel miasteczka. I nie pozwolił jej znów tam wejść w obawie, że mu wystraszy całą klientelę. Zoo także ją zafascynowało; przypomniawszy sobie opowiadanie, jakie usłyszała z ust Mikołaja, wzruszyła się ogromnie na widok słonia i zasmuciła bardzo, widząc go w zamknięciu; zdawało jej się nawet, że w oczach zwierzęcia lśnią łzy. Z podobnym entuzjazmem odkryła kino – chadzała tam popołudniami, po obiedzie. Za pierwszym razem okropnie się przeraziła: ciemność panująca w sali i te niewiarygodnie wielkie postaci – bała się, że lada chwila wyskoczą z ekranu. A poza tym wyświetlano akurat niezmiernie smutny film o miłości i – cóż za traf – występował w nim żołnierz, naturalnie niezwykle atrakcyjny. Znowu trzynaście łez! Uprawiała również jazdę konną, pływała łódką, jeździła na rowerze i motorowerze, wykazując tym samym wyjątkowe upodobanie do środków transportu. Poleciała nawet samolotem: przebywanie w niebie, tak blisko gwiazd, było dla niej niezwykle emocjonującym przeżyciem – tym razem wypłakała pięćdziesiąt pięć łez. Przez te słodycze musiała także po raz pierwszy w życiu udać się do dentysty. Radosna sądziła, że lekarz założy jej sztuczną szczękę. Kiedy od niego wyszła, w triumfalnym geście uniosła rękę ku niebu, myśląc o Romancjuszu. To była tylko próchnica.

Nadeszła chwila, kiedy zaczęło ją nużyć to ciągłe wydawanie pieniędzy. Już nigdy nie prosiła o ozdobne pakowanie zakupów – odwijanie ich z papieru było w końcu dodatkową fatygą. Kupowała ubrania, nie przymierzywszy ich nawet, a potem niejednokrotnie na nią nie pasowały. A co do innych rzeczy – doprawdy lepiej by było, aby ich nigdy nie nabyła, jak na przykład butów na wysokich obcasach, w których o mało nóg nie połamała. Lub pięćdziesięciu trzech rodzajów perfum, które wypróbowała po kolei jednego dnia, i ów koktajl okazał się wręcz zabójczy – przeklęty smród utrzymywał się przez wiele tygodni w jej pokoju. Tak oto zaczęła przeznaczać swój kapitał na rzeczy bardziej ekstrawaganckie. Na przykład kiedy szła do kina, wykupywała trzy miejsca. Siadała na środkowym i tym sposobem nie miała obok siebie nikogo, kto by jej przeszkadzał.

Co chwila biegała do fryzjera, gdzie podczas jednej wizyty układano najróżniejsze fryzury z jej długich włosów. I choć zapewne była najlepszą klientką, mieli jej powyżej uszu: doprawdy mogło przyprawić o zniechęcenie modelowanie jej fryzury, którą natychmiast kazała burzyć – wyłącznie z powodu kaprysu. Jeździła na lotnisko i kupowała bilet powrotny na ten sam dzień. I tak ją fascynowała obserwacja nieba, że nabyła dużą niemiecką lornetkę. Za pierwszym razem, gdy ujrzała Księżyc i gwiazdy z tak bliska, wypłakała tyle łez, że już następnego dnia mogła nabyć kabriolet. Dla towarzystwa zaś kupiła sobie kotka i musiała go po kryjomu zanieść do swego pokoju, gdyż Flora Dzwonnica, właścicielka pensjonatu, nie zezwalała wprowadzać zwierząt. Zaczęła również kolekcjonować dosłownie wszystko: laleczki, noże, wieczne pióra, ryciny, popielniczki, figurki sów, słoni, osiołków. Potem wyspecjalizowała się w kolekcjach o bardziej wyrafinowanym charakterze. Zbierała okrągłe popielniczki, drewniane szkatułki, porcelanowe osiołki lub ryciny przedstawiające zwierzęta z Afryki. Jednak najciekawszą pośród jej kolekcji był zbiór płaczących Chrystusików, podobnych do tego, który wybawił ją od ojca. Znalazła ich zaledwie pół tuzina; odkryła przy tej okazji, że większość z nich roni jedynie dwie lub trzy łzy. A ponieważ miała pieniądze, zleciła dwóm ebenistom wykonanie jeszcze tuzina Chrystusów – naturalnie mieli płakać pięcioma łzami.

Nauczyć się być bogatą było trudniej, niż Radosna to sobie niegdyś wyobrażała. Na przykład przez to, że nie miała pojęcia o zwyczaju pozostawiania napiwków w barach i restauracjach, patrzono na nią krzywym okiem, kiedy pojawiała się tam ponownie. Potem zaś, poznawszy już ten zwyczaj, zostawiała napiwki tam, gdzie nie powinna, i z tej przyczyny nieraz odebrała gorzką nauczkę. Pewnego dnia wręczyła napiwek policjantowi, który zatrzymał samochód, żeby mogła przejść przez ulicę, i funkcjonariusz pomyślał, że chce go przekupić; a poza tym co za pech: trafiła na jedynego uczciwego policjanta w całym mieście. Nieraz też ją oszwabiono przy wydawaniu reszty, a w ogóle to oszukiwano ją na każdym kroku – sprzedając jej ubrania „prosto z Paryża", naprawdę uszyte na sąsiedniej ulicy, szkatułki z kości słoniowej, która okazywała się najzwyklejszym tworzywem sztucznym, albo skórzane buty – z najczystszego plastiku. Udała się, po raz pierwszy i ostatni zarazem, do francuskiej restauracji: nic nie mogła zrozumieć z tego, co zawierała karta dań, a to, co zamówiła, nie miało nic wspólnego z tym, czego naprawdę sobie życzyła. Chciała zupę, a zamiast niej podano jej jarzyny, chciała mięso, a dostała rybę. Musiała też znieść chichoty kelnerów, gdy w innej restauracji poprosiła o słabo wysmażony befsztyk tatarski. Lub wtedy, gdy zaserwowano jej stare wino, a ona obruszyła się z powodu jego ceny. Tak samo musiała się nauczyć, że istnieją rzeczy, których nie da się kupić za pieniądze. Kiedy chciała nabyć kawałeczek morza, doznała okrutnego rozczarowania, dowiedziawszy się, że nie jest na sprzedaż. Nie mogłaby go kupić nawet za całe złoto świata. Chciała również nabyć prawo jazdy, aby jeździć swym nowym kabrioletem. I znowu miała pecha: trafiła na jedynego uczciwego urzędnika w całym Wonnym Mieście. Nie wydano jej prawa jazdy, a w wydziale, gdzie wcześniej za nie zapłaciła, ani chybi do dziś czekają, aż je odbierze. Próbowała nawet kupić smutnego słonia z zoo, mając nadzieję na wyswobodzenie go z klatki. Tego również nie udało jej się dokonać.

Flora Dzwonnica, właścicielka pensjonatu, była kobietą wyjątkowo mizernej postury i zarazem małoduszną; z braku własnego życia pakowała się z kopytami w życie innych. Nie miała ani rodziny, ani przyjaciół, ani nawet wzrostu. Mierzyła zaledwie metr pięćdziesiąt. Gębę miała za to ponad wszelkie wyobrażenie. Niewiele brakowało, a odgryzłaby palec serdeczny lokatorowi, który nie chciał jej płacić. Od tej pory zmuszała mieszkańców swego pensjonatu do płacenia z góry. Florę Dzwonnicę szalenie zaciekawiło dość nietypowe życie Radosnej. Nie mogła pojąć, skąd ona bierze pieniądze. Była też pewna, że w jej pokoju jest zamknięty kot. Codziennie widziała dziewczynę powracającą z dziesiątkami toreb. Radosna była tak małomówna, że Florze niewiele udało się o niej dowiedzieć. Postanowiła wejść do pokoju swej lokatorki w nadziei, że odkryje jakiś trop dotyczący jej przeszłości. Znalazła setki rozmaitych przedmiotów, a przede wszystkim ubrania, ubrania leżące wszędzie całymi stosami, i utwierdziła się w swym przekonaniu, że mieszka u niej niezwykle dziwna dziewczyna: miała dosłownie wszystko – od lalek aż po Chrystusiki. Po co jej to wszystko? Flora postanowiła ukraść jej zegarek, i począwszy od tej chwili, wchodziła do pokoju Radosnej jak na jarmark. Z początku dyskretnie, zabierając tylko jedną rzecz za każdym razem. Potem, gdy się zorientowała, że dziewczyna nic nie zauważyła – czyniła to już całkiem bezwstydnie. Miała rację, podejrzewając, że w pokoju Radosnej jest zamknięty kot. Usłyszała, jak miauczy, schowany za jednym z butów. Nienawidziła kotów – złapała go zatem za kark i cisnęła przez okno. I choć mówią, że koty mają siedem żywotów, nigdy już o nim nie słyszano. Tym sposobem Flora Dzwonnica nieświadomie przyczyniła się do pomnożenia fortuny Radosnej. Z powodu zniknięcia kota dziewczyna uroniła kolejne pięć łez.

Stopniowo Radosna odkrywała, że pieniądze, choć czynią życie łatwiejszym, szczęścia nie dają. Znowu czuła się głęboko samotna. Wieczorami nigdy nie wychodziła, w obawie że zostanie napadnięta, i pozwalała upływać godzinom, spoglądając przez okno na gwiazdy: myślała o Mikołaju i płakała. Rankiem chadzała na długie spacery po plaży, nad nieskończenie wielkim morzem; patrząc na nie, przypominała sobie matkę i płakała. Siadała na piasku, by słuchać szumu fal. Zabierała na plażę dzbanek i napełniała go kroplami morza. Po powrocie do pensjonatu kładła sobie krople na policzki i przeglądała się w lustrze. Prawie z nikim nie rozmawiała – otwierała usta jedynie wtedy, kiedy było to absolutnie konieczne, zazwyczaj ograniczając się do kiwania lub kręcenia głową, najwyżej mówiła dzień dobry lub dobry wieczór, chcę kupić to czy tamto, lub wybierała z menu dania, które chciała zamówić. Rozglądała się dookoła: otaczały ją sukienki, zegarki, niepotrzebne przedmioty. Lecz czegoś jej brakowało. Kiedy wychodziła na ulicę, przyglądała się ludziom. Ujrzawszy parę zakochanych, poczuła głęboką zazdrość. Pragnęłaby nawet być ową ubogą kobietą, zabawiającą się rozmową z innym nędzarzem. Walcząc z samotnością, poświęciła się pisaniu listów do swej ciotki Inez Marii. Kupiła mnóstwo podręczników do gramatyki, wszystkie jakie tylko zobaczyła, aby udoskonalić swój sposób pisania. A jako że nie miała doprawdy nic do roboty, listy wychodziły jej długie jak tasiemce. Inez Maria odpowiadała jej po miesiącach, nie tylko dlatego że prawie nie potrafiła pisać, lecz także z winy Filipa: to jemu powierzała ślinienie znaczków, a on lizał je tak gorliwie, że w końcu je połykał; i znów kupuj, człowieku, te znaczki. W ten sposób Radosna dowiedziała się z listów, że Anastazja umarła. Koza także odeszła z tego świata – Inez Maria zabiła ją jednym ciosem kija, nie mogła bowiem ścierpieć czegokolwiek, co miało związek z Anastazją. Po czym potraktowali kozę tak, jakby była wieprzkiem: Inez Maria zjadła jej mięso. A Filip zachował sobie jej głowę i ozór do zabawy. Zatrzymali również wszystkie cztery kozie nogi, bo przynoszą szczęście: tego samego dnia, gdy odcięli kozie kończyny, znaleźli cuchnącą skarpetę Anastazji wypełnioną po brzegi pieniędzmi. Faktycznie, Filipowi i Inez Marii dopisało szczęście: uwolnili się od Anastazji, znaleźli skarpetę z oszczędnościami, a teraz jeszcze Radosna przysyłała im pieniądze.

Wiele razy Radosna była o krok od wysłania listu do Mikołaja. Jednak tego nie uczyniła. Sama myśl o tym, że mógł się ożenić, napawała ją wstrętem.

Lepiej żyć w nieświadomości.

Radosna spojrzała na gwiazdy i zapytała:
– Co robicie, kiedy czujecie się samotne?
Leżała na łóżku, otoczona setkami przedmiotów,
które dotrzymywały jej towarzystwa.

Radosna była również bardzo ostrożna, gdy szła wymienić złote łzy na pieniądze. W Wonnym Mieście było dwóch lichwiarzy i trzech jubilerów, kupujących złoto. Co miesiąc udawała się do innego, aby nie wzbudzać podejrzeń. Jednak pewnego popołudnia jakiś mężczyzna poszedł za nią, gdy opuściła kantor lichwiarza w pobliżu jej pensjonatu. Spieniężyła właśnie czterdzieści złotych łez. Potem poszła do kina – film okazał się dłuższy niż zwykle. Żeby prędzej wrócić do domu, postanowiła pójść na skróty, wąską uliczką wychodzącą na aleję, przy której znajdował się jej pensjonat. Mężczyzna podążał jakieś dwa metry za nią, przyspieszał kroku, aż w końcu ją dopadł i złapał za szyję. Wyciągnął nóż.

– Dawaj pieniądze.

Poczuwszy ostrze noża, Radosna podniosła wrzask. Musiał być doprawdy straszliwy, skoro złodziej był zmuszony ją puścić, aby zatkać sobie uszy. Dziewczyna rzuciła się do rozpaczliwej ucieczki, lecz mężczyzna znowu ją dopadł; teraz od razu zatkał jej usta. Radosna czuła, jak nóż kłuje jej szyję, a wzrok napastnika przeszywa ją na wylot. Nic nie mogła zrobić, aby się obronić, zaułek był całkiem pusty. Oddała mężczyźnie wszystkie pieniądze, jakie miała przy sobie, on jednak nie wyglądał na usatysfakcjonowanego.

– Wiem, że masz więcej schowanych pieniędzy.

Złodziej zaczął ją obmacywać, a kiedy położył jej dłoń między piersiami, Radosna zauważyła, że zbliża się ku nim korpulentny młodzieniec. Napastnik czmychnął. Dziewczyna spojrzała na człowieka, który uratował jej życie. Jego głos był pełen ciepła.

– Wszystko w porządku?

Skinęła głową. Wciąż próbowała odzyskać oddech.

– Słyszałem, jak krzyczałaś.

Radosna po raz pierwszy w życiu poczuła dumę z powodu swych wrzasków. Uratowały jej życie. Korpulentny mężczyzna, pragnąc się upewnić, że dziewczynie nic się nie stało, podszedł do niej nieco bliżej. Radosna, przerażona, cofnęła się o parę kroków. Przypomniała sobie swą przysięgę: nikomu nie ufać.

– Chcę tylko sprawdzić, czy dobrze się czujesz.

Uspokoiła się, widząc na jego okrągłej twarzy uśmiech. Był tak ogromny jak on sam. Młodzieniec musiał mieć dobre dwa metry wzrostu. Na imię miał Robert.

– Dziękuję za pomoc.

Radosnej zrobiło się słabo. Robert to zauważył i wziął ją pod rękę. Przestraszyła się bardzo, lecz gdyby jej nie podtrzymał, upadłaby zemdlona na ziemię.

– Odprowadzę cię kawałek, napijesz się wody. To ci dobrze zrobi.

Mimo że Radosna odrzuciła raz i drugi jego zaproszenie, tak bardzo nalegał, że w końcu musiała je przyjąć. Przecież uratował jej życie. Poszli do baru i spędzili tam prawie godzinę. Radosna bardzo się denerwowała, nie tylko z powodu swej zwykłej nieufności, lecz i dlatego, że nigdy dotąd nie przebywała sam na sam z mężczyzną innym niż Mikołaj. Kiedy Robert jej powiedział, że ma na nazwisko Kalafior, uśmiech zagościł ponownie na twarzy Radosnej.

– Nigdy nie słyszałam równie zabawnego nazwiska.

Robert zdążył już się przyzwyczaić do wszelkiego rodzaju komentarzy dotyczących jego nazwiska. Wyjaśnił jej, że je nosi, ponieważ jego matka zaszła w ciążę z mężczyzną, którego poznała tej samej nocy. Nie znała nawet jego imienia. Kiedy urodził się Robert i w urzędzie stanu cywilnego zapytali o nazwisko ojca, matce, która miała stragan na placu targowym, nie przyszło do głowy nic innego jak tylko Kalafior. Matka Roberta umarła parę lat temu, a on przejął stragan. Warzywa zamienił na jajka. Spytał Radosną ze śmiechem:

– Wiesz, dlaczego cię uratowałem?

Pokręciła głową; potem uśmiechnęła się, usłyszawszy odpowiedź:

– W życiu trzeba mieć choćby parę jaj. A ja mam całe setki.

Robert Kalafior musiał strasznie nalegać, aby Radosna pozwoliła mu się odprowadzić do pensjonatu.

– Jest późno. To miasto nocą jest bardzo niebezpieczne.

Dotarli do drzwi pensjonatu. Właścicielka, Flora Dzwonnica, spojrzała przez okno: po raz pierwszy zobaczyła Radosną w towarzystwie mężczyzny. Robert okazał się prawdziwym dżentelmenem: odchodząc, nie prosił o nic w zamian za przysługę.

– Nie bój się, nic ci złego nie zrobię.

Zanim odszedł, powiedział jeszcze:

– Jeśli będziesz czegoś potrzebowała, jestem w budzie numer pięć na targowisku.

Tej nocy Radosna pomyślała, że być może mogłaby jednak spotykać się z jakimś mężczyzną. Robert Kalafior wydawał się bardzo uprzejmym młodzieńcem. Poza tym, że po długim czasie samotności ktoś dotrzymywałby jej towarzystwa. Zasnęła z uśmiechem na ustach. A rankiem, także po raz pierwszy od dawna, obudziła się, nie uroniwszy ani jednej łzy. Przez parę następnych dni Radosna nie mogła wybić sobie z głowy Roberta. Choć rozum jej mówił, że nie powinna nikomu ufać, serce podszeptywało, żeby się z nim spotkać: czuła się ogromnie samotna, nie mogła przecież tak przeżyć całego życia. Znalazła salomonowe wyjście. Przez wiele dni chodziła na targ i przypatrywała się Robertowi z daleka, ukryta za kolumną, tak by jej nie zauważył. Lubiła patrzeć na jego obnażone ramiona przesuwające skrzynie, wręczające jajka, lubiła przyglądać się szerokiemu uśmiechowi, jakim obdarzał klientów, odbierając od nich pieniądze; a czasami znów patrzyła, jak dłubał w nosie – w końcu nikt nie jest doskonały. Musiały upłynąć całe dwa tygodnie, zanim Radosna zdecydowała się do niego zbliżyć. Robert Kalafior powitał ją niezwykle uprzejmym uśmiechem.

– Cieszę się, że przyszłaś.

Umówili się na następny dzień na kolację. Radosna spędziła calutki ranek u fryzjera i kupiła sobie nową sukienkę. Robert przyszedł po nią; on także ubrał się wytwornie, to prawda, tyle że na swój sposób – koszula i marynarka pasowały do siebie jak pięść do nosa. Podarował dziewczynie dwa ozdobne jajka, które własnoręcznie pomalował. Poszli do restauracji w nadmorskim pasażu. Radosna, jeszcze nieco zdenerwowana swą pierwszą randką, przełknęła zaledwie parę kęsów. Za to Robert Kalafior – ten to dopiero sobie podjadł za dwoje! Jego maniery pozostawiały sporo do życzenia. Pożerał wszystko z otwartymi ustami i pięć razy poplamił sobie koszulę. Pokazał jednak, że jest naprawdę dobrym człowiekiem. Kiedy wyszli z restauracji, obdarował hojną jałmużną żebrzącego staruszka. Potem spacerowali pasażem. Pierwsze, czego Robert zapragnął się dowiedzieć o Radosnej, to skąd bierze pieniądze na swe utrzymanie. Dziewczyna już miała przygotowaną odpowiedź:

– Rodzice mi zostawili trochę pieniędzy.

Tego samego dnia Radosna dowiedziała się, że Robert ma dwa marzenia. Pierwsze to podróż do Australii. Tam mógłby zrobić jeden z najlepszych interesów w owych czasach: założyć strusią fermę. Strusie mięso i jaja właśnie stawały się modne. Radosna uśmiechnęła się; nie chciała nawet sobie wyobrażać, jaka też byłaby jajecznica ze strusiego jaja. A Robert zastanawiał się nad tym najpoważniej w świecie. Drugim jego marzeniem była duża rodzina.

– Chcę mieć co najmniej tuzin dzieciaków.

Kiedy wrócili do pensjonatu, Robert Kalafior usiłował Radosną pocałować, ona jednak, spłoszona, odsunęła się od niego. Znów miała przygotowaną odpowiedź:

– Chcę dotrwać do małżeństwa jako dziewica.

Robert Kalafior, lekko zirytowany, mógł ją tylko pocałować w policzek, i tyle. Nie krył rozczarowania: tego wieczoru chętnie by ją przeleciał. Jednak w głębi serca podziwiał postawę Radosnej. Okazała, że jest kobietą pełną godności, i to czyniło z niej poważną kandydatkę na małżonkę. A poza tym jeśli on, Robert, chce się pieprzyć, ma przecież wszystkie kurwy, co to właśnie po to są. Radosna udała się uśmiechnięta do swego pokoju. To był piękny wieczór. Usnęła, tuląc do siebie dwa malowane jajka od Roberta. I obudziła się, nie uroniwszy nawet jednej łezki.

Po tym pierwszym spotkaniu Radosna i Robert Kalafior zaczęli się coraz częściej spotykać. Z początku widywali się raz na dwa tygodnie, potem dwa razy w tygodniu. Chodzili coś zjeść, spacerowali po plaży. Nieraz Robert chciał zaprosić Radosną do kina, lecz ona za każdym razem odmawiała, w obawie że się wzruszy i zapłacze w jego obecności. Wymyśliła dobrą wymówkę.

– Kiedy byłam mała, zostałam zgwałcona w kinie. Od tej pory nie znoszę tam chodzić.

Radosna wpadła w panikę; strasznie się bała, że Robert ją zbije, szczególnie wtedy, gdy się dowie o złotych łzach. Nie chciała go stracić, ale potrzebowała czasu, żeby móc go pokochać. Musiała dołożyć wszelkich starań, aby Robert Kalafior nie pomyślał, że strasznie z niej dziwna kobieta. Dlatego, choć nigdy nie pozwalała, by ją pocałował w usta czy też przytulił, to owszem, pozwalała trzymać się za rękę i całować w policzek.

W ten oto sposób Radosna, mimo że nie zdołała zapomnieć o Mikołaju, pomalutku zakochiwała się w Robercie Kalafiorze. A kiedy to nastąpiło, pojawił się nowy problem. Jako że czuła się o wiele lepiej, było jej coraz trudniej płakać. Ponadto aby to uczynić, musiała pomyśleć o Mikołaju, a o nim właśnie, jeżeli chciała być szczęśliwa, powinna zapomnieć. W tym czasie budowniczowie jej domu zażądali od niej mnóstwa pieniędzy na jego wykończenie – początkowy kosztorys okazał się teraz dwukrotnie wyższy. Pomyślała, że poszuka pracy. Lecz zanim to zrobi, najpierw będzie mogła sprzedać wszystko, co zgromadziła w pensjonacie. Jest tego aż nadto, by założyć sklep.

W owych dniach Robert Kalafior zaczął mieć poważne problemy z jajkami. Cała partia, którą nabył, zepsuła się z powodu awarii samochodu-chłodni, jaka nastąpiła po drodze. Wielu spośród klientów się zatruło, dwoje wylądowało w szpitalu. Chociaż nigdy się to już nie powtórzyło, rozniosła się plotka, że towar z jego straganu jest zatruty, i nikt nie chciał już u niego kupować. Pal licho jajka. Na domiar tych wszystkich kłopotów, z którymi już się borykał, władze nałożyły na niego wysoką grzywnę. Mało tego, podwyższono mu czynsz za dom prawie o dwieście procent. Na targu grozili mu, że odbiorą mu stragan. Robert był przygnębiony, w kiepskim humorze, a Radosna już nie wiedziała, co robić, żeby go nieco rozweselić. Co prawda pomogła mu, ofiarowując pieniądze ze sprzedaży swych łez. Nie mogła jednak dać mu ich zbyt wiele, aby nie wzbudzać podejrzeń; a do tego dochodziła jeszcze męska duma Roberta – kwestia jaj, prawdziwie męskiego honoru – nie życzył sobie pomocy kogokolwiek, a tym bardziej kobiety.

Również w tym samym czasie Radosna otrzymała list. Dosłownie osłupiała, kiedy go jej doręczono: był od Mikołaja Delfina. Dostał jej adres od Inez Marii. Radosna poczuła głębokie wzruszenie, ujrzawszy jego pismo na kopercie. Otwarła ją, drżąca. Mikołaj prosił o wybaczenie za chłód, z jakim ją potraktował, kiedy widzieli się po raz ostatni w koszarach w Horąrzufce Cyrólika. Najgorsza była jednak wiadomość, że zamierza się ożenić. Oczy Radosnej zaszkliły się. Padła na łóżko i jęła ronić szczerozłote łzy. Z tej przyczyny zapomniała, że umówiła się z Robertem Kalafiorem. Spotykali się zawsze pod drzwiami pensjonatu, by nie mógł sobie na zbyt wiele pozwolić. Nie chciała też, aby zobaczył, jak strasznie dużo ma w pokoju ubrań i niepotrzebnych przedmiotów. Radosna nadal płakała, leżąc na łóżku, kiedy zapukano do drzwi. Był to Robert Kalafior, który – ponieważ nie pojawiła się na dole – przyszedł po nią. Radosna przytuliła się do niego. Pragnęła poczuć jego ciepło, zwierzyć mu się ze swego smutku. Robert prawie nie zwrócił uwagi na to, co zgromadziła w pokoju. Jego wzrok utkwił w czymś dużo ciekawszym: oczy Radosnej roniły złote łzy. Robert Kalafior odsunął się od niej, niedowierzający i zafascynowany. Zwrócił również uwagę na liczne łzy, leżące przy poduszce. Radosna mówiła rwącym się głosem:

– To Mikołaj, jedyny przyjaciel, jakiego miałam.

Robert odsunął się od niej, wziął do ręki jedną z łez i obejrzał, próbując także zębami, czy jest ze szczerego kruszcu.

– Dlaczego mi wcześniej nie powiedziałaś?

Radosna, w swej naiwności, pomyślała, że Robert zainteresował się jej osobą.

– Bo się dopiero teraz dowiedziałam.

– Teraz?

Znowu ujrzał, jak Radosna, kiwając głową, roni złotą łzę.

– To nie do wiary.

Radosna nadal płakała.

– Całe szczęście, że mam ciebie.

Każde chciało mówić o swoim. Robert Kalafior zapytał:

– Są złote?

– Kochałam go, zanim poznałam ciebie.

I szlochając, ponownie przytuliła się do Roberta. Poczuwszy ciepło jego ciała, przestała płakać. Całe szczęście, że miała go przy sobie.

– Kochasz mnie, prawda?

Robert przytaknął. Teraz, kiedy już zobaczył, jak Radosna płacze złotymi łzami, kochał ją jeszcze bardziej; pogłaskał ją, aby to okazać. A ona, przekonana, że młodzieniec naprawdę ją kocha, postanowiła mu wyjawić całą prawdę o złotych łzach. Koniec końców któregoś dnia będzie musiała mu to powiedzieć. Wyjawiła również, że Mikołaj był jej najlepszym przyjacielem.

– Czemu mi o tym wcześniej nie powiedziałaś?

– Żeby ci nie dać powodu do zazdrości.

Radosna doznała pociechy w jego ramionach. Choć straciła Mikołaja, miała Roberta. Mogła sobie ulżyć wyznaniem:

– Bardzo kochałam Mikołaja.

Jednak Roberta interesował tylko ten przeklęty metal.

– Zawsze płaczesz złotymi łzami?

Cała jego męska duma gdzieś znikła. Robert Kalafior już sobie wyobrażał, jak jedzie do Australii w poszukiwaniu strusich jaj.

– Nie zdajesz sobie sprawy, że możemy być bogaci dzięki twoim łzom? No, popłacz jeszcze troszeczkę!

Radosna prawie go nie słuchała; pragnęła mu opowiedzieć o swym dzieciństwie.

– Kiedy byłam mała, zawsze się z nim bawiłam.

Robert tracił z wolna cierpliwość. Krzyknął:

– Płacz, Radosna!

Radosną zaskoczył ton jego głosu. A kiedy Robert Kalafior potrząsnął nią gwałtownie, zaprotestowała:

– Sprawiasz mi ból.

Robert Kalafior wyglądał tak, jakby oszalał.

– Wiedziałaś, że przeżywam trudne chwile. Nie znoszę, kiedy ktoś mnie oszukuje. Dlaczego mi nie powiedziałaś prawdy? Rozkazuję ci płakać!

Radosna spojrzała nań ze smutkiem. Teraz wiedziała już, że jest taki sam jak wszyscy: tylko pieniądze go interesują.

– Musisz płakać, dziewczynko, do kurwy nędzy!

Radosna nie mogła tego uczynić: była zbyt przygnębiona jego postawą. Spadł więc na nią grad uderzeń. Zapłakała, nie tylko z bólu fizycznego, lecz i dlatego, że oto dowiedziała się, jaki naprawdę jest Robert Kalafior. Wrzaski Radosnej znów ją uratowały, przynajmniej na jakiś czas. Flora Dzwonnica wtargnęła do pokoju z zapasowym kluczem w dłoni.

– Co mają znaczyć te wrzaski?

Nietrudno jej było przekonać Roberta do szybkiego opuszczenia pokoju. Celowała z pistoletu prosto w jego serce. Robert ze spuszczoną głową ruszył ku drzwiom, a na pożegnanie Flora go ugryzła. Zawył z bólu. Ta maleńka kobietka rozharatała mu udo.

– Jeżeli tu wrócisz, odgryzę ci to, co ci dynda między nogami.

Radosna poczuła wielką ulgę, widząc, jak Robert oddala się, kulejąc. Kiedy kobiety zostały same, Radosna nie była w stanie powstrzymać łez. Czuła się ogromnie nieszczęśliwa. Za każdym razem gdy płakała, na dodatek jeszcze ktoś ją tłukł. I tym, który ją uderzył, był mężczyzna, którego kochała, przeklęty Robert Kalafior. Nienawidziła pieniędzy. Nienawidziła całego świata. Ale przede wszystkim nienawidziła mężczyzn. Wszystkich naraz i każdego z osobna. Przysięgła na swych przodków, że nigdy w życiu nie zwiąże się już z żadnym mężczyzną. I nigdy nie wyjdzie za mąż.

Teraz to Flora Dzwonnica spoglądała zdumiona na złociste kropelki.

– Są ze złota?

Radosna przestała płakać, przeczuwając, co znowu jej się może przydarzyć. Spodziewaj się najgorszego, a na pewno się ziści. Flora Dzwonnica podeszła do niej i ją pocałowała.

– Płacz jeszcze, maleńka.

Radosna odsunęła się od niej i chciała podejść do drzwi, aby ratować się ucieczką. Zatrzymała się jednak, bo zobaczyła wycelowany w siebie pistolet.

– Spróbuj tylko wyjść, a cię zabiję.

Radosna zesztywniała; jej oczy były niczym bryłki lodu, czuła, że głowa jej chyba pęknie.

– Płacz jeszcze, nieszczęsna.

Spróbowała zapłakać, lecz tak na zawołanie nie mogła tego uczynić. Powiedziała do Flory:

– Teraz nie mogę.

Palec wskazujący właścicielki pensjonatu zbliżył się do języczka spustu, co bez wątpienia sprawiło, że zrozpaczona Radosna ponownie zapłakała. Po czym zaczęła wrzeszczeć, wzywając pomocy: tym razem jednak nikt nie odpowiedział na jej wołanie. Oba sąsiednie pokoje były puste. Flora Dzwonnica wymierzyła Radosnej tak silny policzek, że ta aż upadła na podłogę. Kobieta postanowiła nie tylko ją zakneblować, lecz także związać jej ręce i nogi. Rzuciła dziewczynę na łóżko. Usiadła koło niej i wycelowała w nią z pistoletu, by zmusić do płaczu. Została przy niej aż do zmierzchu, patrząc, jak jedna po drugiej złociste kropelki spadają z jej oczu. Flora zebrała dwadzieścia łez. Z jej ust wydobyło się ziewnięcie. Przysunęła się do dziewczyny i pogłaskała ją. Radosna próbowała się od niej uwolnić, ale ponieważ była związana, niewiele mogła zdziałać. Zrobiło jej się niedobrze, kiedy usłyszała śmiech tej kobiety.

– Dobranoc, panieneczko od złotych łez. Do jutra.

Flora Dzwonnica zamknęła drzwi. Radosna zapłakała. Co się z nią teraz stanie? Ta kobieta była zdolna ją zabić. Choć właściwie chyba wolała umrzeć. Nie warto było żyć. Wszyscy tylko chcieli ją bić. Nienawidziła swych złotych łez. Były powodem nieszczęścia. Flora weszła rano do pokoju. Zdawało się, że jest w dobrym humorze.

– Dzień dobry.

Uśmiechnęła się, ujrzawszy, jak wiele łez wypłakała dziewczyna nocą. Bez wątpienia ona, Flora, niebawem będzie bogaczką. Wycelowała w Radosną, by jej przypomnieć, że musi nadal płakać.

Radosna wiele dni spędziła w łóżku, związana i zakneblowana. Płakała bez zbytniego wysiłku: patrzyła na Chrystusa, którego sama powiesiła nad łóżkiem, błagając Go, by ją znów wybawił, tak jak to uczynił w dniu, kiedy spadł na jej ojca. Mniej więcej co sześć godzin Flora Dzwonnica wchodziła do pokoju, żeby zabrać swój haracz złotych łez. Rozwiązywała Radosną tylko po to, aby mogła pójść do toalety lub coś zjeść. I nieustannie mierzyła do niej z pistoletu.

Radosna przebywała w zamknięciu już około tygodnia, gdy w pensjonacie pojawił się Robert Kalafior. Wpadł jak burza do pokoju, kiedy była tam Flora Dzwonnica, zbierająca swój ostatni plon złotych łez. Powitał właścicielkę pensjonatu, celując do niej z pistoletu.

– Ty córko wielkiej kurwy, nie lubię, jak mi się ktoś wpieprza w moje jaja!

Flora uniosła ręce. Robert Kalafior podszedł do niej i jednym szarpnięciem wyrwał jej wszystkie łzy, które właśnie schowała do woreczka. Potem spojrzał na Radosną.

– Rozwiąż ją.

Flora Dzwonnica zaczęła rozplątywać jeden ze sznurków, cały czas zerkając kątem oka na Roberta.

– Co z nią zrobisz?

– Zabiorę ze sobą.

Robert Kalafior obserwował na przemian łzy Radosnej i ruchy małej kobietki. Naraz ujrzał łzę na podłodze. Schylił się, by ją podnieść. Flora Dzwonnica wykorzystała ten moment, by złapać swój pistolet. Robert Kalafior na czas zareagował. Teraz obydwoje mierzyli do siebie. Zapadła grobowa cisza. Radosna miała oczy szeroko otwarte, wielkie jak talerze. Wtedy właśnie gwóźdź, na którym wisiał krzyż, obsunął się o parę milimetrów. Chrystus się zakołysał. Zaskoczeni tym odgłosem Robert i Flora prawie równocześnie oddali strzały ze swej broni. Padli niczym rażeni gromem na podłogę, i teraz dopiero Radosna zapłakała. I miała po temu powód: Robert Kalafior i Flora Dzwonnica, pojednani przez śmierć, leżący na podłodze w kałuży krwi. Prawie nie mogła iść, tak słaba się czuła, a zanim wyszła z pokoju, spojrzała na Chrystusa, który znalazł się na jej łóżku. Znowu uratował jej życie. Nareszcie była wolna, jednak po wszystkim, co się wydarzyło, już doprawdy nie wiedziała, czy Mu dziękować, czy też może nie.

Opuściła pensjonat. Biegła, kulejąc, zdrętwiała z przerażenia. To nie do wiary, jak w tym stanie zdołała dotrzeć na stację. Mimo że usiłowała ukryć pod chustką swe rany i ślady uderzeń na twarzy, ludzie się jej przyglądali. Mężczyzna o miłej powierzchowności zainteresował się nią, pytając:

– Coś się panience stało?

Radosna patrzyła przed siebie zagubionym wzrokiem. Parę sekund upłynęło, nim dostrzegła tego mężczyznę, a po chwili zaczęła wrzeszczeć. Ów dobry człowiek osłupiał – przecież ofiarował jej pomoc. No cóż, sprawiedliwi zawsze zbierają cięgi za grzeszników. Jakiś czas później Radosna nie mogła sobie przypomnieć, co się z nią działo po ucieczce z pensjonatu. Straciła przytomność.

Radosna spojrzała na gwiazdy i zapytała:
– Można nienawidzić całego świata?
Owej nocy Radosna śniła, że umiera, tonąc.
To był przepiękny sen.

Kiedy Radosna otwarła oczy, pierwszą rzeczą, jaką ujrzała, był Chrystus na krzyżu. Wisiał na białej ścianie i był bardzo podobny do tego, który znajdował się w domu jej rodziców. Lecz z oczu Jego płynęły tylko trzy łzy. Potem zobaczyła zakonnicę olbrzymkę: była to matka Nieskończona; uśmiechała się do niej, trzymając ją za rękę. Radosna nie pamiętała, w jaki sposób znalazła się w tym miejscu. Spróbowała się poruszyć, lecz nie mogła. Całe ciało ją bolało, czuła, jak płonie. Inna zakonnica nosząca przydomek „siostra Pies" stała po drugiej stronie łóżka. Położyła dziewczynie na czole kompres z chłodnej wody, co jej przyniosło wielką ulgę.

– Gdzie jestem?

– W klasztorze Świętej Katarzyny.

Matka Nieskończona wyjaśniła Radosnej, że jacyś mężczyźni przynieśli ją do klasztoru ze stacji kolejowej. Od wielu dni leżała nieprzytomna. Radosna ponownie spojrzała na Chrystusa na ścianie. Znowu ów Pan na krzyżu uratował jej życie.

Pobyt w klasztorze okazał się dla Radosnej błogosławieństwem niebios. Spędziła długi czas w łóżku, tuląc do siebie laleczkę z gałganków, podarowaną przez siostry; czasami śpiewała – na szczęście dla wszystkich cichutko. Zakonnice stały się dla Radosnej prawdziwymi siostrami. Choć co prawda niektóre, ze względu na wiek, były dla niej raczej babciami czy nawet prababciami, jak siostra Caritas, znana raczej jako siostra Dziewięć Milionów Trzysta Tysięcy, która miała ponad dziewięćdziesiąt lat. Nieco szurnięta, sześć miesięcy wcześniej postanowiła przestać się modlić: spędziła w klasztorze ponad sześćdziesiąt lat i wedle swych obliczeń przez całe życie odmówiła już ponad dziewięć milionów trzysta tysięcy ojczenaszek. Aż nadto, by zasłużyć na niebo. I teraz pozostało jej tylko oczekiwać śmierci. Wychodziła ze swej celi jedynie w niedziele, nie po to jednak, aby iść na mszę, lecz aby odwiedzić swój przyszły dom – znajdujący się na patio grób, który szorowała co tydzień w nadziei, że już niebawem w nim spocznie.

Spośród wszystkich zakonnic ulubienicą Radosnej była siostra Aniela, najmłodsza z nich i najzabawniejsza. Miała zaledwie siedemnaście lat, a już ponad dwa spędziła w zakonie. I jak mówili niektórzy, było nie do wiary, że – tak młoda i piękna – sama postanowiła się odciąć od świata. Lecz ona twierdziła uparcie, że jest całym sercem zakochana w Jezusie. Mówiąc o Nim, aż się rumieniła.

– Jezus jest najprzystojniejszym mężczyzną na świecie.

Radosna popatrywała zdumiona na Chrystusa w swym pokoju: nie mogła pojąć, jak to możliwe, że siostrze Anieli tak bardzo się podoba ów mężczyzna o chudych jak patyki nogach, brudnych stopach i zakrwawionej twarzy, a w dodatku o wiele dla niej za stary. To właśnie siostra Aniela nadała przydomki wszystkim zakonnicom, jak na przykład wymienionej już siostrze Dziewięć Milionów Trzysta Tysięcy, ze względu na liczbę odmówionych ojczenaszek. Lub siostrze Apsik, bo miewała silne ataki niepohamowanego kichania. Następna była siostra Rzym, zwana tak dlatego, że od kiedy wstąpiła do zakonu, przed ponad dwudziestu laty, całymi dniami opowiadała o swej podróży do Watykanu; siostry już znały tę opowieść na pamięć, a jeśli nie znienawidziły Rzymu, to jedynie dlatego, że grzechem jest nienawidzić, a ponadto jest to dom Ojca Świętego. Siostra Pies, brzydsza niż sam grzech, wciąż warczała, i choć była dobrą osobą, nie opłacało się jej sprzeciwiać, bo doprawdy nie było z nią żartów – nawet ksiądz jej się bał i podczas spowiedzi traktował ją łagodniej niż pozostałe siostry: za ten sam grzech siostra Pies musiała się modlić o połowę mniej niż inne zakonnice. Siostra Pies ciągle beształa siostrę Drobinkę, zwaną tak nie tyle z powodu wzrostu, ile raczej sposobu mówienia. Była niższa nawet od Flory Dzwonnicy i miała istną manię zdrabniania absolutnie wszystkiego.

– Dobrutki dzionek, siostrzyczki, obudziłam się z myślą o Jezusku duszyczki mojej.

Siostra Pies warczała na nią:

– Nie mogłabyś tak mówić normalnie, kretynko?

Matka Nieskończona zawsze musiała je godzić. Była wszak przełożoną. Jej brzuch doprawdy nie miał końca, stąd przezwisko. Bez przesady ważyła ponad sto pięćdziesiąt kilo, nieustannie odczuwała głód, a podczas mszy ksiądz dawał jej dwie hostie zamiast jednej – w końcu po coś była szefową całego zakonu.

Stopniowo Radosna dochodziła do siebie, wciąż jednak była bardzo słaba i przygnębiona. Zakonnice dyżurowały przy niej, jedna po drugiej, i mówiły do niej bez ustanku, aby sprawdzić, czy się ożywi. Nawet siostra Pies okazała jej uprzejmość. I siostra Dziewięć Milionów Trzysta Tysięcy, która wychodziła ze swej celi jedynie po to, by oglądać swój grób, ofiarowała się, że będzie przy niej czuwać. Siostra Rzym, pełniąca przy niej nocny dyżur, mówiła o swej podróży do Watykanu, a to rzeczywiście działało jak środek nasenny: Radosna natychmiast zapadała w sen. Siostra Drobinka, która odpowiadała za kuchnię, zawsze przynosiła jej słodycze.

– Cześć, Radośniutka, co słychać? Masz tu ciasteczko z truskaweńkami.

Matka Nieskończona towarzyszyła jej podczas posiłków i natychmiast pożerała to, co Radosna zostawiła na talerzu.

Od pierwszej chwili Radosna poczuła się zauroczona owym przybytkiem spokoju. Wydało jej się cudowne, że te niewiasty oddały swe życie komuś, kogo nawet zobaczyć nie można. Jednak najbardziej ją zdumiewało, że nie przywiązywały wagi do pieniędzy. Pieniądze, mawiały, przynoszą jedynie nieszczęście. Lub: trzeba być ubogim w duchu. Lub, jak mówiła siostra Pies:

– Pieniądze to jedno pieprzone gówno.

Radosna utożsamiała się całkowicie z ich poglądami. Nienawidziła pieniędzy. I wzruszyła się, gdy poznała historię Boga; okazało się przy tym, że nie zna nie tylko połowy, ale nawet piątej części obrzędu mszy świętej. Jej matka zaledwie zdołała jej wytłumaczyć, że ów człowiek na krzyżu to Chrystus, Syn Boży. Radosna przeżyła głębokie wzruszenie, kiedy poznała Jego życie i cuda, i dowiedziała się, że przybili Go do krzyża jedynie za to, kim był – Synem Boga. Nie potrzebowała jednak wielkiej wiary, aby uwierzyć w cuda. Już ich doświadczyła we własnym życiu.

Kiedy doszła do siebie, mianowały ją drugą odpowiedzialną za kuchnię. Pokazała siostrom, jak robi krokiety z mięsa – alež im smakowały, szczególnie matce Nieskończonej, która postanowiła, że w każdą pierwszą niedzielę miesiąca będą podawane na obiad; sama potrafiła pochłonąć siedemnaście jako drobną przekąskę. Właśnie podczas obiadu Radosna obwieściła siostrom nowinę:

– Chcę zostać zakonnicą.

Pragnęła być taka sama jak siostra Aniela, jak siostra Apsik, jak siostra Drobinka. Był tylko jeden szkopuł: musiałaby obciąć włosy. No cóż, wszak wiadomo, że każdy zawód wymaga poświęcenia. To prawda, że przysięgła nigdy nie wyjść za mąż, lecz zawarcie małżeństwa z samym Bogiem nie mogło być uwzględnione w przysiędze, zważywszy, że nawet nie był mężczyzną. I całe szczęście, skoro bowiem nie był mężczyzną, nie mógł jej bić. Z zapartym tchem słuchała, jak siostry o Nim mówiły. Siostra Rzym była tak przekonana, że jest małżonką Chrystusa, że wręcz opowiadała o ich życiu małżeńskim.

– Bóg jest najlepszym małżonkiem na świecie, a ponadto nie chrapie.

A kiedy wspominała Najświętszą Panienkę, mówiła o niej „teściowa".

– Poprosiłam moją teściową, by mi pomogła naprawić ten świat.

Siostra Rzym została mniszką, gdy owdowiała; mąż jej tak chrapał, że nie dawał jej żyć. Mawiała z dumą, że przeszła przez cztery możliwe stany: panna, mężatka, wdowa i zakonnica.

Radosna wiedziała jednak, że nie będzie mogła zostać małżonką Boga, dopóki nie otrzyma Jego wezwania. Co dzień oczekiwała na nie z niecierpliwością, lecz na próżno. Siostra Aniela opowiedziała Radosnej, że jej samej Bóg objawił się pod postacią deszczowych kropel pewnej dżdżystej nocy. Radosna słuchała tej opowieści z rozdziawioną buzią. Wyglądało na to, że kropla odezwała się do siostry, przemawiając w te słowa:

– Nadeszła twoja godzina, musisz iść do zakonu.

Potem kropla wyparowała. Nazajutrz Aniela okazała kropli posłuszeństwo jak ktoś, kto otrzymuje rozkaz wojskowy: poszła do klasztoru, by pozostać tam na zawsze.

Od kiedy Radosna się dowiedziała, że wezwanie może nastąpić wtedy, kiedy najmniej go się oczekuje, była niesłychanie czujna o każdej porze dnia. Nawet wieczorem, zamiast się położyć, siedziała na łóżku. Nie chciała pogrążyć się w głębokim śnie, bo a nuż pojawiłoby się o świcie, tak jak się to zdarzyło siostrze Dziewięć Milionów Trzysta Tysięcy. Opowiedziała ona Radosnej, że Bóg objawił jej się podczas snu: okno jej pokoju otworzyło się gwałtownie i snop światła rozjaśnił nieoczekiwanie całe pomieszczenie. Siostra Apsik również otrzymała wezwanie poprzez inne zjawisko naturalne: swe ataki kichania. Kiedy ukończyła dwadzieścia lat, zawsze gdy ktoś wzywał Imienia Bożego, zaczynała kichać. Choć jej rodzina była niewierząca, Bóg był intensywnie obecny w jej domu, dzięki ojcu, który za każdym razem, gdy był wściekły, mówił:

– Sram na Boga.

– Aaa psiiiiik!

Jej kichanie było tak gwałtowne i donośne, że nie pozwalało dosłyszeć bluźnierstwa. Aż w końcu ojciec, mając go powyżej uszu, przestał srać – naturalnie tylko w sensie przenośnym. Rodzina mieszkała blisko klasztoru i przyszła siostra Apsik tam postanowiła zasięgnąć rady na temat tego, co jej się przydarzało. Matka Nieskończona przekonała ją, że to z całą pewnością wezwanie Boga, aaaa psik. Niedługi czas potem siostra Apsik wstąpiła do nowicjatu. Jako że w klasztorze wzywa się Boga – aaa psik – mnóstwo razy, kichanie to było nie do zniesienia, zdecydowały zatem, że będą Go wzywać pod innym imieniem: Stwórca, Wszechmocny, Ojciec Niebieski lub Bozia w przypadku siostry Drobinki.

Dwa razy Radosnej się zdawało, że słyszy owo wezwanie. Za pierwszym razem czytała na patio Biblię. Siedziała pod drzewem pomarańczowym, kiedy nagle poczuła uderzenie w głowę, całe jej ciało doznało wstrząsu – myślała, że oto nadeszła jej godzina. Pomarańcza oderwała się od gałęzi i spadła jej na głowę. Podniosła owoc jak najostrożniej, oczekując, że do niej przemówi, pomarańcza jednak milczała, zarówno tego dnia, jak i w następne, aż w końcu zgniła, co musiało niechybnie nastąpić. Tydzień później podczas snu poczuła ukłucie w sercu. Obudziła się gwałtownie w przekonaniu, że oto została wezwana, lecz zobaczyła jedynie mrówkę, która wspięła się na jej ciało i zagubiona w owym morzu skóry dotarła aż na jej pierś. I wtedy właśnie, jedyny raz podczas pobytu w klasztorze, Radosna pomyślała o Mikołaju. Siostra Aniela mówiła jej, że musi okazać się godną swego rodowego nazwiska i okazać cierpliwość, lub raczej świętą cierpliwość. Była pewna, że dziewczyna otrzyma wezwanie. Nadała jej już nawet przydomek: siostra Krokiet. Radosna wiedziała, że jeżeli Bóg ją wezwie, będzie musiała wyznać swym siostrom, że jej łzy są ze złota. Jednak w miarę jak poznawała ich dobroć, coraz mniej się tego obawiała. Pieniądze nie były dla nich ważne.

A to jedynie było ważne dla Radosnej.

Część trzecia

Łzy z lodu

Wiele zrozpaczonych rodzin przybywało do klasztoru Świętej Katarzyny, aby prosić siostry o jałmużnę. One jednak niewiele mogły uczynić; pieniędzy z jałmużny starczało ubogim zaledwie na odrobinę strawy. Tego dnia pojawiły się matka z córką. Kobieta została kilka razy pobita przez męża, całe ciało miała posiniaczone, potrzebowała pomocy. Kiedy siostra Rzym opowiedziała Radosnej historię owej niewiasty, która w dodatku miała na imię Manuela, dziewczyna zasmuciła się głęboko. Przypomniała sobie swą nieszczęsną matkę. Usiadła na krześle i uniosła dłonie do twarzy. Prawie bezwiednie zaczęła płakać. Siostra Rzym zamieniła się w słup soli, ujrzawszy, że z oczu dziewczyny płyną łzy ze szczerego złota. Uklękła przy niej i przeżegnała się, krzycząc wniebogłosy:

– Cud! Cud!

Zakonnica opuściła pokój Radosnej niezwykle wzburzona i pobiegła oznajmić nowinę siostrom. Była tak podekscytowana, że potknęła się dwa razy; leżąc na ziemi, nie przestawała krzyczeć:

– Cud! Zapłakała!

W parę sekund siostry uformowały krąg wokół Radosnej. Siostra Rzym tak się zdenerwowała, że była w stanie wymawiać jedynie oderwane słowa.

– Cud! Złoto! Zapłakała! Boże!
– Aaa psik!
Z początku siostry sądziły, że cud polega na tym, że Radosna po prostu zapłakała, skoro przez trzy miesiące jej pobytu u nich nigdy nie widziały, by uroniła choćby jedną łezkę. Kiedy zaś przybiegły do celi Radosnej, stwierdziły, że obok dziewczyny leży mnóstwo złotych kropelek. Wszystkie siostry uklękły u jej boku i zaczęły się modlić, by podziękować za cud. Matka Nieskończona rzekła:
– Trzeba podziękować Panu.
– Aaa psik!
Wyszły, podając sobie łezki z rąk do rąk, by się im lepiej przyjrzeć. Siostra Drobinka patrzyła na nie zafascynowana.
– Cudeńko!
Siostra Pies ją ofuknęła:
– To nie cudeńko, ty idiotko, to cud nad cudami!
Siostra Rzym wyobraziła sobie siebie samą, udającą się do Watykanu, aby powiadomić samiutkiego Ojca Świętego o cudzie Radosnej. Postanowiła pójść do kościoła – musiała pomówić z Najświętszą Panienką.
– Idę opowiedzieć o tym mojej teściowej.
Matka Nieskończona podeszła do Radosnej.
– Czyżbyś nie zdawała sobie sprawy, jak wielu ludziom będziesz mogła pomóc?
Zebrały łzy do woreczka. Radosna, przerażona, przez chwilę sądziła, że siostry także będą chciały ją bić. Tak jednak nie było. Jedna po drugiej, wszystkie ją ucałowały. Parę godzin po tym, jak zakonnice poznały ów niezwykły dar Radosnej, przybyła do klasztoru zrozpaczona wdowa. Miała siedmioro dzieci, najstarsze skończyło zaledwie osiem lat. Jeżeli nie otrzyma jakiejś pomocy, nie będzie mogła zapłacić czynszu za swój dom i zostanie z niego wyrzucona. Kiedy siostry opowiedziały Radosnej

historię wdowy, uroniła osiem łez. Zakonnice dały wdowie sześć, a dwie pozostałe ofiarowały dziewięćdziesięcioletniemu starcowi, który potrzebował pieniędzy, by kupić sobie kule, a przy okazji jeszcze butelkę gorzałki, choć o tym, naturalnie, nie wspomniał. Radosna poczuła się szczęśliwa, kiedy jej oznajmiono, że dzięki swym łzom żalu dokonała trzech aktów miłosierdzia. Przynajmniej swym nieszczęściem będzie mogła przynieść innym ulgę w cierpieniu.

Następnego ranka pojawiły się matka z córką: jeżeli dziewczynka nie zostanie natychmiast zoperowana, będzie niewidoma przez całe życie. Czym prędzej matka Nieskończona udała się do celi Radosnej i przedstawiła jej ów problem. Biedna dziewczynka – Radosnej nietrudno było wypłakać pięć łez. Tak samo jak wtedy, gdy poznała historię kobiety, która straciła męża. Kościół, w którym odbywał się jego pogrzeb, był w bardzo złym stanie. Zawaliła się część dachu, zabijając kobiecie obu synów. I z czego ma teraz żyć nieszczęsna wdowa?

Rozeszła się wieść, że w klasztorze Świętej Katarzyny pomagają nieszczęśliwym. Najpierw przybywali ludzie z pobliskich wiosek, potem ze wszystkich stron kraju. Z początku, tylko słuchając historii, jakie jej opowiadano, Radosna zaczynała płakać. Boże mój, ileż nieszczęść na tym świecie! Siedemdziesięcioletni mężczyzna przyszedł do klasztoru: stracił w pożarze żonę i troje dzieci. Został mu jeszcze jeden syn, najstarszy, który wprawdzie nie stracił życia, lecz w pewnym sensie także znajdował się w innym świecie; mieszkał za oceanem. Cóż za smutna historia. Kiedy opowiedziano ją Radosnej, wypłynęło z jej oczu siedem łez – dość, aby zapłacić za bilet lotniczy staruszka.

Radosna spędzała cały boży dzień na płakaniu; kosztowało ją to jednak coraz więcej wysiłku. Była zmęczona wysłuchiwaniem tak wielu opowieści; teraz musiała zobaczyć owe nieszczęścia na własne oczy, by móc się wzruszyć. W ten oto sposób poznała bezrękiego mężczyznę, który w dodatku musiał się poddać operacji nogi, o ile nie chciał jej stracić. Albo paralityka, który na domiar wszystkiego zaniewidział.

Okolice klasztoru przekształciły się w zaimprowizowane obozowisko. W krótkim czasie setki ludzi zaczęły się tłoczyć u wrót Świętej Katarzyny. Najsprytniejsi z nich, przeczuwając, że oczekiwanie może być długie, zabrali namioty. Dochodziło do różnych incydentów: niejeden chciał być przyjęty jako pierwszy, przybywszy jako ostatni. Jednoręcy okazali się królami w kraju ślepców: niejeden niewidomy, jako że nie widział, musiał czekać ponad miarę. Pojawili się także naciągacze rozmaitego autoramentu, którzy wymyślali najróżniejsze rodzaje nieszczęść, byle tylko dostać pieniądze. Jak na przykład pewna kobieta, kryjąca swą rzekomą ślepotę za czarnymi okularami, lub mężczyzna, który schowawszy rękę za plecami, udawał kalekę. Byli też tacy, którzy doprawdy wstydu nie mieli: prosili o pieniądze, aby kupić perukę, naprawić wygódkę w domu, zapłacić za weselne przyjęcie swoich dzieci lub skonstruować replikę wieży Eiffla. Tak było w przypadku eksburmistrza Wonnego Miasta, Tobiasza Wzorowego, wciąż owładniętego obsesyjnym pragnieniem zbudowania kopii paryskiego zabytku. Inni przybywali z wielkopańskimi minami, grożąc, że przestaną chodzić do kościoła, jeżeli natychmiast nie otrzymają pomocy. A świat jest maleńki jak chusteczka do nosa: wnet pojawił się człowiek, któremu od kilku już lat dokuczały rozmaite choroby, a źródłem jego nieszczęść była sztuczna szczęka z drugiej ręki, którą mu sprzedał mężczyzna o bardzo złym charakterze. Zainfekował sobie jamę ustną i od tej pory stan jego zdrowia nieustannie się pogarszał.

W klasztorze zapanowało istne pandemonium. Zakonnice ledwo sobie radziły. Musiały czuwać nad tymi wszystkimi ludźmi, rozdawać żywność, musiały też wygospodarować parę dodatkowych łez na cele administracyjne. Wielu ubogich zainstalowało się w obozie po prostu po to, aby dostać coś do jedzenia. Siostry nigdy dotąd nie były tak umęczone. Matka Nieskończona dzięki tej przymusowej gimnastyce całkiem sporo schudła. Siostra Rzym pod koniec dnia bywała tak wyczerpana, że nie miała siły opowiadać o swej podróży do Watykanu, a to w istocie było wielkie szczęście. Siostra Pies nie miała czasu, by warczeć ani też dyskutować z siostrą Drobinką, która zmęczoniutka była, oj, zmęczoniutka. Tak wielkie zmęczenie posłużyło również urzeczywistnieniu marzenia siostry Dziewięć Milionów Trzysta Tysięcy: udała się wreszcie na tamten świat. Nie omieszkawszy odmówić uprzednio ojczenaszki numer dziewięć milionów trzysta tysięcy jeden. Siostry pożegnały ją w locie; musiały wracać do roboty.

Radosna była coraz bardziej wyczerpana. Miała dość tego ciągłego płaczu. Czuła się bardziej nieszczęśliwa niż ci wszyscy nieszczęśnicy, o których jej opowiadano. Siostry wywierały na nią presję, aby łzy płynęły jeszcze szybciej:

– Jeśli nie zapłaczesz, ten wdowiec z siedmiorgiem dzieci umrze.

– Jeśli nie zapłaczesz, dziewuszeczka w wieku trzech latek straci nózie.

– Pewna staruszka grozi, że się zabije, jeśli jej nie pomożemy. Płacz, Radosna, na miłość boską!

– Aaa psik! Jeśli nie zapłaczesz, ślepy straci rękę.

Radosna czuła, że głowa jej za chwilę pęknie:

– Już dłużej tego nie zniosę!

Wobec tylu paralityków, jednorękich, ślepców i wdów, Radosna stopniowo stawała się nieczuła. Nagle przestało jej być żal jednorękiego, uważała go za kogoś najnormalniejszego na świecie. Lub ślepca – cóż za pospolite nieszczęście – tak wielu ich już widziała. Wdowy obarczone dziećmi, bez żadnej fizycznej ułomności, uważała za osoby w pełni szczęśliwe – na cóż się uskarżały?

Wśród nieszczęśników rozeszła się wieść, że Radosną wzruszają jedynie najstraszliwsze historie. Najsprytniejsi postanowili wyolbrzymić swe tragedie. Albo po prostu opowiadali jej dyrdymały nie z tej ziemi – tak idiotyczne, tak okrutne, że Radosna, miast się zasmucić, otwierała usta ze zdumienia. Czy to możliwe, by stracić jednego dnia żonę, dwoje dzieci, psa, mieszkanie, wolność, przyjaciół, lewą rękę, pracę i godność? Tak. Tak właśnie było w przypadku mężczyzny, który opowiedział, jak to jego żona nie zgasiła ognia pod blachą kuchenną. Kiedy wrócił z pracy, dom już spłonął razem z żoną, dwojgiem dzieci i dwoma kolegami najstarszego syna, a do tego jeszcze z uprażonym psem. Mężczyzna ów udał się do baru, aby tam utopić swe smutki, spotkał swojego szefa, którego zaraz sprał, gdyż tamten nie chciał wysłuchać jego opowieści; pech zrządził, że pojawiła się policja. Szef naturalnie wylał go z pracy, został także brutalnie pobity przez policjanta – ojca jednego z chłopców, którzy zginęli w pożarze. Zawieźli go do szpitala, konieczna okazała się amputacja ręki, a w dodatku jeszcze go zatrzymano: strażacy, którzy próbowali ugasić ogień, znaleźli u niego w domu kokainę. Wyszedł właśnie z więzienia – i jak ma dalej żyć? Albo kobieta, która opowiadała, że jej zmarły mąż pozostawił jej w spadku miliony długów, a dwaj płatni mordercy prześladowali ją dniem i nocą, i jeden z nich ją zgwałcił, no i teraz nie dość, że spodziewa się dziecka, to będzie ich troje – ma bowiem urodzić trojaczki, a tego samego dnia trzęsienie ziemi zniszczyło jedyne, co posiadała, czyli dom, i jak ma dalej żyć? A Radosna nie mogła się powstrzymać – zaśmiewała się dosłownie do rozpuku, a śmiech ów tak był zaraźliwy, że i siostry zaczynały się śmiać. Nawet siostra Pies pękała ze śmiechu. Radosna patrzyła przez okno i wszystko wywoływało u niej wybuch śmiechu: ów bezręki, owa staruszka wdowa. I chciało jej się płakać, ale ze śmiechu. W ten sposób nie można było ronić złotych łez. I czuła się źle z powodu swego nieuniknionego okrucieństwa – przecież wcale nie chciała śmiać się z tych wszystkich ludzi. Indianin Józek Bum-Bum, emerytowany bokser, był o krok od znokautowania Radosnej, właśnie z tego powodu. Bo się z niego śmiała.

– Teraz dopiero się dowiesz, co znaczy drwić sobie ze mnie.

Jeśli nie udało mu się zabić Radosnej, to jedynie dzięki interwencji sióstr i niewielkiej sile jego ramion. Indianin Józek Bum-Bum potrzebował pieniędzy na operację obu rąk, które miał sztywne. Siostry wspólnymi siłami zdołały wyrzucić go z klasztoru. Poprzysiągł zemstę.

Nadeszła chwila, kiedy Radosnej dosłownie robiło się niedobrze na widok tych wszystkich biedaków. Zdała sobie również sprawę z czegoś strasznego: utraciła wrażliwość do tego stopnia, że nie czuła nawet ruchu powietrza. Tak jak gdyby jej zmysły z wolna obumierały. Gdy jadła, potrawy nie miały smaku; było jej obojętne, czy je mięso czy rybę. Słuchała muzyki, lecz jej nie słyszała. Zapachów też nie odróżniała. Nawet kiedy Indianin Józek Bum-Bum ją zbił, wcale nie poczuła bólu. Czasami, dotykając skóry na przedramieniu, odnosiła wrażenie, że dotyka bryły lodu. Już nie mogła dłużej. Choćby nie wiadomo jak się starała, nie była w stanie ronić łez. Zakonnice jej nie biły, lecz presja, jaką na nią wywierały, była równie lub nawet bardziej bolesna. I znowu miała problemy z żołądkiem – bolał ją i cierpiała na obstrukcję.

Pewnej nocy, kiedy wszystkie siostry zasnęły, postanowiła uciec z klasztoru. Po raz ostatni spojrzała na Chrystusa wiszącego w jej pokoju. Wychodząc, ukryła twarz pod chustką, by nie rozpoznała jej armia nieszczęśników, oczekujących w pobliżu.

Wtedy go zobaczyła. I usta otwarła ze zdumienia. Mikołaj Delfin stał przed nią, oczy miał pełne łez, a na jego twarzy malowało się przygnębienie; był o wiele szczuplejszy niż dawniej. Przybył właśnie do klasztoru Świętej Katarzyny, szukając tego, co wszyscy: pieniędzy. Zadali sobie równocześnie to samo pytanie:

– Co tu robisz?

Głos Mikołaja ledwo docierał do uszu Radosnej.

– Słyszałem, że tu dają pieniądze. Potrzebuję natychmiast jakiejkolwiek pomocy.

Radosna musiała się uśmiechnąć. Jakże ciekawe jest to życie. Mikołaj, który zawsze miał w pogardzie pieniądze. I właśnie dzięki temu przeklętemu metalowi ona znów go widzi.

– Chcę rozmawiać z dziewczyną od złotych łez. Znasz ją?

Radosna uspokoiła się. A więc nie wiedział, że ona jest tą dziewczyną. Tylko tego by jeszcze brakowało do szczęścia biednej Radosnej, żeby Mikołaj, dowiedziawszy się o złotych łzach, także ją zbił.

Mikołaj ledwo się trzymał na nogach: przeszedł wiele kilometrów, by dotrzeć do klasztoru, był kompletnie wyczerpany.

Radosna musiała go podtrzymywać. Skorzystał z tej niepowtarzalnej okazji, aby ją objąć. Nie do wiary – dziewczyna pozwoliła się obdarzyć pieszczotą. Po raz pierwszy chłopiec czuł jej ciało, jej ciepło, jej skórę, jej pagórki. Było to cudowne. Za to Radosna nawet nie drgnęła, nawet nie poczuła dotyku dłoni Mikołaja. Tyle razy marzyła o tym, żeby się znaleźć w jego ramionach, a teraz prawie nic do niego nie czuła. Mikołaj namówił Radosną, by z nim poszła do maleńkiego pokoiku, którego mu użyczył napotkany po drodze mężczyzna. Opowiedział jej, że jego żona, ta, która była jego narzeczoną, gdy odbywał służbę wojskową, właśnie umarła. Radosna bardzo się zdumiała, dowiadując się o zupełnie normalnej śmierci, w łóżku. I to dopiero była wiadomość dla Radosnej: usłyszeć o kimś, kto nie zginął tragicznie w pożarze, wypadku lotniczym lub przy pracy. Jak zawsze Mikołaj nie miał ani reala – dotąd pozostawał na utrzymaniu żony. Na dodatek jego matka zachorowała i potrzebował pieniędzy, by ją zaprowadzić do lekarza. Radosna spytała go o interes z kamieniami księżycowymi. Powiedział jej, że udał się na miejsce, gdzie jego dziadek ujrzał spadający meteoryt.

– Próbowałem sprzedawać kamienie, ale miałaś rację. Nikogo nie interesują, choćby nawet były z Księżyca. Potem chodziłem od wioski do wioski, opowiadając moje historie, lecz ludzie nie mają głowy do opowieści. To, co dostawałem, nie starczało mi nawet na jedzenie.

Jako że nalegał, Radosna weszła do pokoiku. Mikołaj podszedł do niej i znów ją przytulił. Ona zaś stała, nieruchoma niczym posąg. I chłopiec, korzystając z tego, że nie stawiała oporu, zaczął ją rozbierać. Zdjął jej sukienkę i ogarnął go zachwyt na widok jej ciała i owych pagórków, których tyle razy chciał dotknąć. Palce Mikołaja przebiegały po całym jej ciele.

Kiedy leżeli w łóżku, a ich ciała się splatały, Radosna odwracała twarz do ściany, by Mikołaj nie dostrzegł jej zimnego wyrazu. Czyniła nadludzkie wysiłki, by go kochać, by go pożądać, by go posiąść, by poczuć jego ciało, jednak prawie nic nie czuła. Mikołaj jęczał, doznawał rozkoszy, kochając ją, całując, muskając, liżąc, trzymając w ramionach i zdobywając nareszcie owe cudowne pagórki, zwane piersiami. Radosna musiała otworzyć oczy, żeby zobaczyć, co też on z nią robi, bo nic nie czuła. Nie poczuła nic nawet wtedy, gdy Mikołaj w nią wszedł. Jakby jej ciało było z lodu, skóra z kamienia, serce z żelaza. On za to odbył podróż w nieskończoność i ujrzał gwiazdy. Mikołaj także marzył o tej chwili od dawna, a była ona o wiele piękniejsza, niż to sobie wyobrażał. Wydał krzyk rozkoszy i legł bez sił. Aż spływał potem ze szczęścia. Ucałował ją z czułością.

– Było cudownie.

Radosna odwróciła twarz.

– Nie podobało ci się?

Powiedziała, że tak. Lecz go oszukała. Nic nie czuła.

Mikołaj przytrzymał głowę dziewczyny, by spojrzeć jej w oczy.

– Oczy twoje są smutne, nawet nie lśnią.

Oziębłość Radosnej sprawiła mu ból. Nigdy dotąd nie był tak blisko niej, a zarazem tak daleko.

– Pokochasz mnie któregoś dnia?

Wyczerpany miłością Mikołaj zasnął. Radosna patrzyła na niego przez trzy godziny. Tyle czasu oczekiwania na miłość, a teraz co? Teraz, bardziej niż kiedykolwiek, Radosna nie mogła go kochać, nic do niego nie czuła. Dzięki tym resztkom wrażliwości, jakie jej pozostały, wiedziała, że zrobi mu straszną krzywdę, jeżeli z nim zostanie. Kiedy już miała przekroczyć próg, usłyszała, jak Mikołaj mówi:

– Nadal jesteś jak szkatułka. Któregoś dnia ją otworzysz?

Radosna nic nie odpowiedziała i odeszła. Mikołaj wpatrywał się w drzwi; w ciszy rozległ się jego płacz. Wyjrzał przez okno. Nie mógł nawet popatrzeć na gwiazdy. Niebo zasnuło się chmurami. Zapytał, czy któregoś dnia Radosna go pokocha. Pełen wściekłości, zaczął kopać w ścianę pokoju.

Noc była zimna i zaczęło padać. Ulice opustoszały. Rozkrzyżowawszy ramiona, Radosna stanęła w strugach wody lejącej się coraz gwałtowniej z nieba. Krople, całkiem jakby były łzami, ułożyły się pod jej oczyma. Radosna dotknęła swego policzka. Jedna z kropel zamarzła. Zdjęła ją i położyła sobie na dłoni.

Wyglądała jak łza z lodu.

Radosna spojrzała na gwiazdy i zapytała:
– Zaprosicie mnie do nieba?
Istnieje coś gorszego od śmierci. Nie chcieć żyć.

Radosna wędrowała nocą przez wiele godzin. Wszystko jej było obojętne; mogła stawić czoło samotności w drodze. Jakiś mężczyzna zaproponował, że ją podwiezie swą ciężarówką. W normalnych okolicznościach Radosna nawet by się nie odważyła zbliżyć do samochodu, ale teraz było jej wszystko jedno, a w dodatku bolały ją nogi. Przyjęła propozycję. Najprawdopodobniej szofer zaoferował, że ją podwiezie, pragnąc zaspokoić swe męskie potrzeby. Lecz Radosna musiała mieć bardzo złą minę, bo pożądanie błyskawicznie mu minęło. Pocieszył się myślą, że przynajmniej będzie miał towarzystwo, przykro podróżować samemu i zawsze miło jest trochę pogadać. Ale Radosna otworzyła usta tylko po to, by mu oznajmić:

– Nie mam ochoty rozmawiać.

Zostawił ją o świcie parę kilometrów od wybrzeża. I przeklął ją w duchu; nawet mu nie podziękowała.

Poszła na plażę. Wobec nieskończoności oceanu poczuła się mniej znacząca niż ziarnko piasku. Zeszła na brzeg i skosztowała wody. Po tylu nieszczęściach, podłościach, tak wielkiej zachłanności, tylu cierpiących istotach, jakie widziała, rozumiała teraz, dlaczego woda jest słona. To łzy Boga, skruszonego wobec świata, jaki stworzył. Taki świat jej nie interesował. W jej życiu już nie było ani sensu, ani uczuć. Chciała umrzeć, a nie mogła nawet zapłakać. Weszła do oceanu i prawie nie poczuła, jak zimna jest woda. Pociechą była jej myśl, że będzie mogła połączyć się ze swą matką. Pomyślała też: oby istniało piekło, by przypadkiem nie spotkać tego wieprza, ojca. Stopniowo jej ciało skrywała woda, aż wreszcie straciła grunt pod stopami. Nawet nie próbowała popłynąć. Uczucie tonięcia było cudowne.

Radosna rozejrzała się dookoła: leżała w łóżku. Nadal była na tym świecie. Od trzech tygodni przebywała w szpitalu, pogrążona we śnie, kompletnie wycieńczona. Jak powiedział lekarz, pewien rybak ocalił jej życie. Radosna przeklęła rybaka, ale przede wszystkim lekarza, kiedy otworzył usta, by jej powiedzieć:

– Jesteś w ciąży.

Radosnej w ogóle to nie poruszyło. Ani dobrze, ani źle. Nie miała uczuć i było jej wszystko jedno.

Wyszła ze szpitala ze spuszczoną głową, nie wiedząc, co dalej począć. Teraz nosiła w sobie dziecko. Dziecko, które nie było winne jej nieszczęść. W tej chwili postanowiła żyć tak długo, aż ono przyjdzie na świat. Porozmawia z Mikołajem i odda mu je na wychowanie. A jeśli on nie będzie go chciał, odda je zakonnicom z klasztoru, one się nim zaopiekują. Jako że nie mogła już żyć ze swego smutku, a ponadto spodziewała się dziecka, zaczęła szukać pracy. Kupiła lokalną gazetę i szybko zdała sobie sprawę, jakie to trudne zadanie. Nie miała ani wykształcenia, ani żadnych szczególnych zdolności, ani doświadczenia. I choć mówiła, że może robić cokolwiek, nikt jej nie chciał zatrudnić. Wzięli ją na próbę do restauracji, lecz ponieważ nie czuła w ogóle smaku, krokiety wyszły tak słone, że nie dano jej już drugiej szansy. Z wolna wpadała w rozpacz, wiele razy próbowała zapłakać. Aż zobaczyła ogłoszenie rzeźni Windsor.

Rzeźnia Windsor, spółka z o.o., zawdzięczała nazwę swemu założycielowi: był nim Saturnin Windsor z Zagrody, Amerykanin z pochodzenia. Fama głosiła, że uciekł ze swego kraju przed wymiarem sprawiedliwości, po tym jak zarżnął całą swoją rodzinę. Jakkolwiek owa straszliwa pogłoska nigdy nie została potwierdzona, prawdą jest, że zabijał świnie ze zdumiewającą łatwością. Bez niczyjej pomocy był w stanie przytrzymać dorosłego wieprzka, zarżnąć go i poćwiartować w przeciągu niespełna kwadransa. Zrobił interes na kradzieży prośnej maciory, która wydała na świat tuzin prosiąt. Po rozwiązaniu Saturnin Windsor zabił maciorę, dzięki czemu uzyskał wystarczająco dużo pieniędzy, by wynająć dom. Tam zamieszkał z dwanaściorgiem prosiąt. Wieprz nad wieprzami – nigdy nie sprzątał domu, a że odór był nieopisany, sąsiedzi zaczęli go nazywać Wieprzem z Ameryki. Kiedy prosiątka stały się olbrzymimi wieprzami, zarżnął je, sprzedał ich mięso, a za otrzymane pieniądze wziął w dzierżawę niewielką rzeźnię. Pięćdziesiąt lat później rzeźnia Windsor była jedną z największych w kraju.

Radosna spotkała się z Onesimusem Windsorem, wnukiem założyciela. Uprzedzał ją, jak ciężka jest praca, którą wybrała. Na co Radosna rzekła:

– Wszystko mi jedno.

Onesimus Windsor przedstawił jej sprawy w najczarniejszych barwach: miał już powyżej uszu zatrudniania kobiet, które musiał po paru dniach zwalniać, gdyż znieść nie mogły nawet zapachu krwi. Radosna upierała się przy swoim.

– Chcę być rzeźniczką.

Oznajmiła to z taką powagą i pewnością siebie, że Onesimus bez wahania przyjął ją do pracy. W ten oto sposób Radosna od życia ze swego smutku przeszła do życia ze śmierci. Nazajutrz zarżnęła pierwszego wieprzka. Koledzy po fachu byli zdumieni bezwzględnością, jaką przy tym okazała. Pierwszy raz był trudny nawet dla mężczyzn. Radosna powiedziała im:

– Gdyby nie to, że jestem w ciąży, także i dla mnie nie byłoby problemem umrzeć.

W rzeczy samej Radosna nic nie poczuła, gdy musiała wbić nóż w tętnicę szyjną wieprzka. Ani wtedy, gdy krew zaczęła płynąć, bulgocząc, podczas gdy wieprzek, jeszcze żywy, kwiczał rozdzierająco. Ani kiedy jej ręce utonęły w jego wnętrznościach. A że nieczęsto się zdarzało, by kobieta, w dodatku przy nadziei, pracowała jako rzeźnik, wieść o niej bardzo szybko się rozniosła. Wracała do domu z rękoma i suknią poplamionymi krwią. Musiała się przeprowadzić, gdyż sąsiedzi łajali ją i obrzucali wyzwiskami. Matki zaś chowały za sobą dzieci, żeby na nią nie patrzyły.

– Nie patrzcie na tę kobietę, to diabeł wcielony!

Radosnej w ogóle to nie wzruszało. Nie reagowała nawet wówczas, gdy odwoływano się do jej kobiecej subtelności.

– Jak możesz zabijać te biedne wieprzusie? Czyżbyś serca nie miała?

– Nie.

Do tego jeszcze antypatyczna. Jednakże brak wrażliwości miał także pewne zalety. Nie przeszkadzał jej smród na schodach w domu. Jako że zmysł smaku też się wyłączył, prawie nie wydawała pieniędzy na jedzenie: żywiła się głównie konserwami rybnymi dla kotów albo okrawkami mięsa, jakie znajdowała na śmietnisku w rzeźni. Nawet kiedy brała prysznic, mogła stać pod lodowatą wodą i w ogóle jej to nie przeszkadzało.

Tak oto, pośród krwi, kabanosów, katalońskiej pasztetówki, bekonu, świńskich ryjków, flaków, polędwicy, szynki, peklowiny, kaszanki, podrobów, ostrej kiełbasy *chorizo*, móżdżku, serdelków, kiełbasy *sobrasada* i grubej kiszki, rósł brzuch Radosnej. Matka okazała się tak wyzuta z wszelkiego czucia, że nie dostrzegała nawet, jak dziecko ją kopało. I pomyślała, że owo dzieciątko, które miała urodzić, albo nie będzie normalne – co byłoby wysoce prawdopodobne, zważywszy, kim była jego matka, albo może już obumarło w jej łonie. Jedna tylko rzecz ją przejmowała troską, sprawiając, że nieraz planowała odebrać dziecku życie: że mogłoby płakać złotymi łzami.

Jeżeli jednak to nastąpi, zawsze będzie czas, by je zarżnąć, jakby było prosiątkiem, i przerobić na wędlinę. Oto jedna z korzyści płynących z braku uczuć.

Część czwarta

Łzy morza

Owego dnia Radosna urodziła dwa razy. Najpierw wydała na świat ludzką istotę. Poród był bardzo szybki, a zarazem dziwnie normalny – coś niewiarygodnego w życiu Radosnej. Lekarz najwyraźniej był zdumiony męstwem matki. Nigdy dotąd nie widział rodzącej, która nie uroniłaby choć jednej łzy. Ani z bólu, ani z emocji. Interesowało ją tylko jedno: chciała się dowiedzieć, czy dziecko płacze.

– Jeszcze nie płacze?

Wtedy właśnie rozległ się płacz. Radosna aż podskoczyła.

– Jak wyglądają jego łzy?

Lekarz wziął dziecko na ręce i spojrzał na nie z czułością.

– To prześliczne dzieciątko.

Radosna nalegała:

– Jak wyglądają jego łzy?

– Nie chce pani wiedzieć, czy to dziewuszka, czy chłopaczek?

Radosna nie ustępowała:

– Przede wszystkim chcę wiedzieć, czy płacze normalnie.

Lekarz z wolna tracił cierpliwość.

– Pewnie, że płacze normalnie. Wszystkie noworodki płaczą. Skoro pani o to nie pyta, sam pani powiem: to dziewczynka.

Pielęgniarka umyła maleństwo, owinęła je w pieluszkę i położyła obok matki. Z początku Radosna nie chciała w ogóle na nie patrzeć. Lecz w końcu to uczyniła. Wówczas uśmiech rozjaśnił jej twarz. Na widok tej bezbronnej istotki poczuła drżenie w całym ciele. Pogłaskała małą. Jej rączki, skórę, oczka. Była taka maleńka.

Wtedy właśnie Radosna zaczęła ponownie rodzić. Oczy jej najpierw się zaszkliły, potem zaś rozświetliły. Tak że niewiele brakowało, a uroniłaby przecudną łzę. Ogarnęło ją przerażenie; pomyślała, że znów się zaczną jej kłopoty. Przyjrzała się uważnie twarzom lekarza i pielęgniarki, szukając na nich wyrazu niedowierzania na widok złota. Ale żadne z nich się nie zaniepokoiło. Lewe oko Radosnej wypełniła krystaliczna ciecz – odchodziły wody. Wolniutko toczyła się zeń kropla, ześlizgując się po twarzy dziewczyny. Radosna pomyślała, że ta łza nie jest tak zimna, jak to zwykle bywało. Dotknęła swego policzka – był wilgotny. Zebrała łzę opuszką palca i popatrzyła na nią, wzruszona. Była to kropelka krystalicznej wody, lśniąca, przepiękna. Próbowała ją gładzić koniuszkiem kciuka, patrząc na nią z czułością. Owa świeżo narodzona łza była równie piękna jak jej córka. Lekarz i pielęgniarka spojrzeli na siebie ze zdumieniem: cóż miała w sobie ta kropelka, że Radosna zapomniała o własnej córce i gapiła się na zwykłą łzę? Wówczas młoda mama uniosła palec do ust, i poczuła się w pełni szczęśliwa. Łza była słona jak morze. Oto Radosna urodziła zupełnie normalną łzę. Był to cudowny poród. Pielęgniarka oczekiwała, że matka powie coś o córeczce. Lecz ona powiedziała po prostu:

– Zapłakałam.

Z oczu jej łzy niemal wyskakiwały; lekarz zaczął się martwić bardziej o matkę niż o dopiero co narodzone dziecko.

– Tak, mogę płakać. Mogę płakać!

I podtykała lekarzowi i pielęgniarce swe łzy do posmakowania. I tak strasznie nalegała, że musieli je unieść do ust. Z odrobiną wstrętu, naturalnie: nie jest przyjemnie kosztować cudze łzy.

– Mają smak morza? Słone są, prawda?

Pielęgniarka wzruszyła ramionami.

– Tak, są słone.

Radosna uśmiechnęła się. Jej dziecko nie przyszło na świat z chlebem pod pachą, tylko z czymś o wiele lepszym: łzą szczęścia. Była nieskończenie szczęśliwa, że urodziła dwie tak przepiękne istoty. Postanowiła dać swej córce imię Mar Manuela – Manuela z Morza – na cześć swojej matki i owej łzy ze słonej wody. Patrząc na córeczkę z czułością, Radosna przysięgła na swych przodków, że Mar Manuela nie będzie tak nieszczęśliwa jak ona. Obiecała jej również, że pokaże jej morze. I wylewała łzy przez całą noc, tuląc do siebie córeczkę. I tak owa noc płaczu okazała się dla niej najpiękniejszą w życiu. I co godzina sprawdzała, czy jej łzy są nadal normalne. Były jednak dużo lepsze.

Były łzami szczęścia.

Świtało, kiedy maleńka Mar Manuela otwarła oczka: Radosna, bardzo wzruszona, zobaczyła, że są błękitne, koloru morza, jak oczy Mikołaja. I wreszcie usnęła. I miała przepiękny sen: ona, Radosna, stała nad jeziorem i roniła łzę, myśląc o Mikołaju. Owa łza była tak słona, że całe jezioro zmieniło się w morze. Już miała odejść, kiedy ujrzała wyskakującego z wody delfina. Lecz nie był to zwykły delfin, tylko człowiek, i patrzcie: mężczyzna. Z morza wyłonił się Mikołaj Delfin. Radosna podeszła do niego i powiedziała mu, że go kocha.

Dwa dni później matka i córeczka opuściły szpital. Wyszedłszy na ulicę, Radosna zaczęła krzyczeć:

– Jestem normalną osobą!

I ludzie patrzyli na nią ze zdumieniem – nie było całkiem normalne to, co mówiła.

– Cudownie jest płakać. Aby być szczęśliwym, trzeba wylewać łzy. Pragnę żyć, płacząc.

Wtedy właśnie, oddychając powietrzem ulicy, zdała sobie sprawę, że odzyskała zmysły. Wzruszała się, czując niebiańską bryzę. Wzruszała się, kiedy czuła zapach kwiatów. Teraz oczywiście każda nuta oznaczała dźwięk, a muzyka sprawiała jej rozkosz. Był tylko jeden kłopot: smród na schodach w jej domu. Doprawdy straszliwy. Potem się okazało, że przyczyną tego odoru była staruszka, która po śmierci leżała w swym mieszkaniu przez pół roku, bo nikt się nią nie zainteresował.

Rankiem Radosna zwykła spacerować po mieście z Mar Manuelą – podchodziła do matek, prosząc, by nauczyły swe dzieci płakać. Kiedy szła do sklepu, prosiła ekspedientów, by płakali. Tak samo czyniła, widząc śmieciarzy, strażników miejskich, listonoszy lub aptekarzy. Odważyła się nawet stanąć na ławce na ulicy i zwrócić się do całego świata. Niejeden musiał pomyśleć, że coś u niej z głową niezbyt w porządku, gdy nawoływała:

– Proszę was, byście płakali, byście podejmowali wszelkie decyzje z uczuciem. Politycy i przywódcy wszystkich krajów – płaczcie, a świat stanie się lepszy. Proszę również, by płakali przedsiębiorcy, mechanicy, piłkarze, klauni, rolnicy, bankierzy, studenci.

Płaczcie, błogosławieni, płaczcie.

Radosna czuła się tak, jak nigdy dotąd. Tydzień wystarczył, by wypłakała wszystkie zaległości. Opłakiwała swą matkę, dzieciństwo, tragiczną śmierć Flory Dzwonnicy i Roberta Kalafiora, płakała nad tym, że odtrąciła Mikołaja Delfina. Płakała również na wspomnienie owych nieszczęśników, z których się tak okrutnie wyśmiewała. Powróciła też błogość w trzewiach i znów jej żołądek funkcjonował niczym zegarek. Już nie czuła do nikogo urazy, nawet do Anastazji. No, może trochę wobec ojca, ale naprawdę odrobinę. Nareszcie będzie mogła kochać, jak każdy. Nareszcie wyrzuciła z siebie całą wściekłość, jaką nosiła w środku.

Nareszcie będzie mogła kochać Mikołaja.

Dwa tygodnie po narodzinach Mar Manueli w domu Radosnej pojawił się Onesimus Windsor.

Zadał sobie ów trud, ponieważ Radosna była jedną z jego najlepszych pracownic. Ale wyraz jego twarzy nie wróżył nic dobrego.

– Jeżeli nie wrócisz jutro do pracy, zwolnię cię.

Radosna oniemiała. Czuła się tak dobrze ze swą córeczką, że na śmierć zapomniała o rzeźni. Dali jej tylko tydzień urlopu na czas porodu. Nagle zrobiło jej się niedobrze. Nie mogła pojąć, jak była w stanie wykonywać tak nędzną, tak podłą pracę. Z bólem przypomniała sobie ryjki zarżniętych przez siebie wieprzków, wszystkich naraz i każdego z osobna. Musiała zatkać uszy, aby nie słyszeć ich śmiertelnego krzyku. Musiała zamknąć oczy, by nie widzieć ich czujnych, wpatrzonych w nią oczu. Musiała schować za siebie ręce, które tyle wieprzków zarżnęły. Teraz dopiero ujrzała wszystkie łzy, płynące z oczu zwierząt, które zabiła. Biedne stworzenia miały tak bolesne miny jak świnka, którą widziała dawno temu w cyrku. Poczuła ból. Głęboko, na samym dnie serca.

Porwała na ręce córeczkę, złapała walizkę, pieniądze, jakie jej jeszcze zostały, i pociągiem udała się na poszukiwanie Mikołaja. Wysiadła w Nostalgii i poszła do domu matki ukochanego. Matka Mikołaja umarła, a dom zajmował jakiś nowy lokator, który nawet nie znał rodziny Delfinów. Poszła więc do sklepikarki, która wiedziała wszystko o wszystkich. Ta jej oznajmiła, że Mikołaj przeniósł się gdzieś za ocean.

– Wygląda na to, że przeżył jakiś zawód miłosny.

Serce Radosnej zabiło szybko. Zamknęła oczy; poczuła się winna – ostatnim razem, kiedy się widzieli, zachowała się wobec niego jak bryła lodu. Nagle zdało jej się, że serce jej przestaje bić. A jeżeli przyczyną owego miłosnego rozczarowania Mikołaja była inna kobieta, nie ona? Ani chybi to prawda, nie ma się co zastanawiać. Sklepikarka nie wiedziała, ani dokąd się udał, ani na jak długo.

– Nie chciał zostawić żadnego adresu.

Sklepikarka zażyczyła sobie zobaczyć małą Mar Manuelę i naturalnie wygłosiła kompletnie niefortunny komentarz:

– Wykapana Anastazja.

Radosna wyszła ze sklepu ze spuszczoną głową, z całej siły przytulając do siebie córeczkę. Dobrze, że chociaż ją ma. Postanowiła odwiedzić swą ciotkę Inez Marię i wujka Filipa, w końcu to jej rodzina, może będzie mogła u nich zamieszkać. Drzwi były otwarte, wrzaski Inez Marii i Filipa docierały aż na ulicę. Brat i siostra tłukli się o kawałek chleba. Filip powitał Radosną zamaszystym liźnięciem. Inez Maria ucałowała ją serdecznie, lecz po chwili zmieszała z błotem.

– Czemu już nie przysyłasz nam pieniędzy? Umieramy z głodu.

W końcu Inez Maria przyjrzała się maleńkiej Mar Manueli. Choć po prawdzie lepiej byłoby, aby na nią nie patrzyła.

– Wykapana Anstazja. Nigdy więcej nie chcę widzieć tego stworzenia.

Filip zaczął lizać dziecko, które rozpłakało się, przerażone widokiem jego ogromnego ozora. O ile owa masa mięsa była olbrzymia dla dorosłych, o tyle dla dziecka musiała być doprawdy czymś potwornym. Radosna zabrała Mar Manuelę i poszła sobie. Bez wątpienia ten dom nie nadawał się dla jej córki. Ponadto nie mogła ścierpieć Nostalgii; nazbyt jej przypominała Mikołaja.

Radosna spojrzała na gwiazdy i przemówiła do nich:
– Mogłybyście poprosić w moim imieniu cały wszechświat, by płakał?
W tej właśnie chwili Radosna ujrzała spadającą gwiazdę.

Radosna, z oczyma pełnymi łez, znów jechała pociągiem; wysiadła w Tornado, małym nadmorskim miasteczku. Zatrzymała się w najtańszym pensjonacie, jaki znalazła. Przeliczyła pieniądze, które jej zostały, i spojrzała na swą córkę – przynajmniej ją miała. Zdołają jakoś przeżyć miesiąc. Przysięgła na swych przodków, że Mar Manuela nie będzie tak nieszczęśliwa jak ona. Dla swej córki uczyniłaby wszystko. Choć w gruncie rzeczy wypełnianie owej przysięgi rozpoczęło się jak najgorzej: każda córka potrzebuje ojca, a gdzie Mikołaj? – szukaj wiatru w polu. Próbowała znaleźć pracę, jakąkolwiek, nikt jednak nie chciał zatrudnić kobiety z dzieckiem. Pomyślała o swych krokietach. Poszła do paru restauracji i powiedziała, że robi najlepsze na świecie krokiety z mięsa – tak, wyłącznie z kurczaka. Ale dzięki zleceniom, jakie dostała, zaledwie mogła zapłacić za pensjonat. Ponadto musiałaby kupić sobie kuchenkę; było też raczej mało prawdopodobne, by właściciel pensjonatu pozwolił jej gotować.

W niespełna dwa tygodnie Radosna została bez pieniędzy. Kompletnie opadła z sił. Była bardzo osłabiona, prawie nic nie jadła, bo wszystko oddawała córeczce. Zrozpaczona, poszła

z Mar Manuelą na plażę. Usiadła na piasku. Pomyślała o Mikołaju i zaczęła płakać. Prawdę powiedziawszy, wcale by jej nie zawadziło uronić parę złotych łez, choćby tylko kilka. Pogłaskała córeczkę. Spełniła przynajmniej jedną z obietnic, jakie jej złożyła; pokazała małej morze. Spojrzała ponownie w kierunku masy słonej wody i widząc na horyzoncie statek, pomyślała znów o Mikołaju. A więc wyjechał. Radosna włożyła rękę do kieszeni i wyjęła ostatnią monetę, jaka jej pozostała. Co z nimi będzie? Z czego będą żyły? Przysięgła wszak na swych przodków, że jej córka nie będzie tak nieszczęśliwa jak ona. Dla Mar Manueli uczyniłaby wszystko. Wówczas ujrzała spacerującego po plaży mężczyznę. Miała już się oddalić, lecz tego nie uczyniła. Jej córka potrzebuje ojca. Dla swej córki uczyni wszystko. Z kieszeni koszuli mężczyzny wystawał portfel. Dla swej córki uczyni wszystko. Radosna zawołała do mężczyzny:
– Chcesz się ze mną ożenić?

Radosna zostawiła córeczkę leżącą na piasku, wstała i przytuliła się do nieznajomego. Wtedy spostrzegła, że ów mężczyzna, który nazywał się Florencjusz Kciuk, miał zdeformowaną twarz. Jednak po tylu nieszczęściach, jakie widziała, wydał się jej zupełnie normalnym mężczyzną. Florencjusz Kciuk aż usta rozdziawił, usłyszawszy propozycję Radosnej. Od czasu gdy miał wypadek i połowa jego twarzy została na zawsze zeszpecona, kobiety nie chciały się do niego zbliżać. Teraz nagle spotkał taką, która w parę minut już zdążyła się do niego przytulić, a poza tym chciała za niego wyjść. Florencjusz Kciuk odparł:
– Tak, chcę.
Tydzień później Radosna i Florencjusz Kciuk pobrali się. Kiedy Florencjusz oficjalnie prosił Radosną o rękę, postanowił zrobić jej niespodziankę, ofiarowując złotą obrączkę, która niezłe pieniądze

go kosztowała. Gdy Radosna ujrzała obrączkę, zamieniła się w słup soli; wzbraniała się ją przyjąć, twierdząc, że jest uczulona na złoto. Koniec końców stanęło na srebrnych obrączkach.

Przez pierwsze miesiące małżeństwa Radosna była naprawdę szczęśliwa. Po raz pierwszy czuła się bezpieczna. Mieszkała nad samym morzem, miała dom i ogród z kwiatami, które sama pielęgnowała. Budził ją szum fal. A co najważniejsze, jej córka miała ojca, a ona sama wiodła cudownie pospolity żywot. Czegóż więcej mogłaby żądać? Naturalnie Florencjusz nie okazywał zbytniej miłości Mar Manueli, ale to nie miało znaczenia. Obdarzona czułością, jaką jej dawała Radosna, mała nie potrzebowała jej od nikogo więcej. Radosna spędzała cały dzień, całując córkę, troszcząc się, by nie zrobiła sobie krzywdy, aby nie zabrakło jej jedzenia, a także sprawdzając, jakie są jej łzy: spokojna była dopiero wtedy, gdy na własne oczy mogła się upewnić, że są normalne.

Florencjusz Kciuk pracował jako kelner w Tornado. Dawniej był rybakiem, aż do chwili, gdy wypadek na morzu zmusił go do zmiany zajęcia. Zachwycał się swą małżonką. Była pierwszą osobą, która nie spoglądała nań ze współczuciem, a ponadto robiła krokiety z mięsa kurczaka – istny cud. Toteż zaproponował jej, aby je dostarczała do baru, w którym pracował. I tak oto Radosna znów zarabiała pieniądze w konwencjonalny sposób. Czasami jednak Florencjusz Kciuk myślał sobie, że Radosna jest przedziwną kobietą. Pewnego dnia poprosił ją, by zrobiła krokiety z wieprzowiny, a ona poczerwieniała jak piwonia. Wieprzowina – nie ma mowy! No i ta jej mania oglądania łez – swych własnych i córeczki.

Jakkolwiek Radosna nie wyszła za mąż z miłości, myślała, że z czasem zdoła pokochać Florencjusza Kciuka. Trzeba przyznać, że czyniła nadludzkie wręcz wysiłki, aby tak się stało. I ze wszystkich sił próbowała przestać myśleć o Mikołaju Delfinie. Chociaż Florencjusz okazał się bardzo dobrym mężem, był jednak mężczyzną nudnym i pospolitym. I ten jego przeklęty groszek. Florencjusz prawie nigdy nie otwierał ust, a kiedy już się odezwał, mówił zawsze to samo: o Mary Moralnej, aktorce, której fotografia widniała na plakatach reklamowych groszku konserwowego marki Zielona Jakość. Poznał ją przed pięciu laty, gdy kręciła film w Tornado. Florencjusz mógł się przyglądać, jak filmowano niektóre sceny. Ostatniego dnia zdjęć Mary Moralna pocałowała go w policzek i podarowała mu swe zdjęcie z dedykacją. Serce Florencjusza przepełniała głęboka wdzięczność. W tamtym okresie wydarzył się ów wypadek i żadna kobieta go nie chciała. Przed zdjęciem Mary czuł się znowu mężczyzną pełną gębą. Za pierwszym razem, gdy Radosna usłyszała o tym kręceniu filmu, wydało jej się to fascynujące. Uwielbiała kino i cały ów *glamour* wokół niego. Jednakże nazajutrz Florencjusz znów opowiedział jej to samo. Jego obsesja na punkcie Mary Moralnej była tak przemożna, że kiedy się kochał z Radosną, rozsypywał mnóstwo ziarenek groszku marki Zielona Jakość na nagim ciele żony. Układał się na niej i podekscytowany zlizywał je, jedno po drugim. Radosna ziewała znudzona, trwało to w nieskończoność. W czasie, gdy się kochali, pocieszała się myślą o swych rodzicach. Florencjusz Kciuk przynajmniej nie robił jej krzywdy.

Radosna spojrzała na gwiazdy i zapytała:
– Szczęście to mieć dom i ogród z mnóstwem kwiatów?
Radosna kochała swe kwiaty.

Wszelkie wysiłki, jakie czyniła Radosna, by pokochać Florencjusza Kciuka, na nic się nie zdały. Niemożliwością było go kochać. Miała już dosyć Mary Moralnej, jej przeklętego zdjęcia, przeklętego kręcenia filmu, przeklętego kina w ogóle, a przede wszystkim przeklętego groszku. Nie było sposobu, by Florencjusz mówił o czymkolwiek innym. Za każdym razem dłużej czekała, by zaczął się z nią kochać, gdyż pieczołowicie rozkładał coraz więcej groszku na jej ciele. Stopniowo Radosna czuła się coraz bardziej nieszczęśliwa przy swym mężu. Miała dom, wspaniałą córeczkę, ogród pełen kwiatów, brakowało jej jednak miłości mężczyzny. Nic na to nie mogła poradzić. Nie kochała Florencjusza Kciuka.

I choć usiłowała ukryć przygnębienie, mąż dostrzegał jej smutek. Siadał na brzegu morza i jakby zupełnie nieobecny patrzył przed siebie niewidzącym spojrzeniem. Radosna zawsze pytała go o to samo:

– Wiesz, dlaczego morze ma smak łez?

Florencjusz Kciuk kręcił przecząco głową. Radosna odpowiadała:

– Bo jest smutne, jak życie.

Florencjusz spoglądał na żonę.

– Głodny jestem. Przygotowałaś groszek na obiad?

Radosna patrzyła na niego z obrzydzeniem. Przeklęty groszek. Całe szczęście, że miała Mar Manuelę; tak bardzo ją kochała. Teraz, kiedy mała skończyła cztery latka, Radosna często jej opowiadała o swej matce. Od czasu, kiedy sama miała córeczkę, często wspominała Manuelę. Mar Manuela ją pytała:

– Gdzie jest babcia?

Radosna patrzyła na morze.

– Odeszła kilka lat temu.

– Zostawiła cię samą?

– Nie, była chora i odeszła.

Mar Manuela tuliła się do matki.

– Nie chcę, żebyś mnie zostawiła.

Radosna dawała jej całusa.

– Nigdy cię nie zostawię.

Radosna kończyła sprzątać kuchnię, gdy ujrzała meteoryt spadający w pobliżu domu. Mar Manuela już spała, a Florencjusz jeszcze był w pracy. Przez okno zobaczyła, jak przepiękna ognista kula przecina niebo. Pędem podbiegła do krateru, który się uformował o jakieś sto metrów od domu. Prawie nieświadomie otwarły się jej usta i krzyknęła: „Mikołaju!". Zdała sobie sprawę, że wszelkie wysiłki, jakie czyniła, by o nim nie myśleć, były daremne. Nigdy nie będzie mogła zapomnieć o Mikołaju Delfinie. Usiadła obok meteorytu i przypomniała sobie wszystkie cudowne chwile, które razem przeżyli. Wówczas poczuła się głęboko nieszczęśliwa. Przypomniała sobie, jak opuściła Mikołaja ostatnim razem, gdy się widzieli. Zimna kropla spłynęła jej po policzku. Oczy się zaszkliły i uroniła pełną bólu łzę. Bardzo zimną. Położyła ją na dłoni. Była ze złota. A ponadto olbrzymia, jak jej smutek, jak jej ból. I tak jęła ronić następne złote łzy, jedną po drugiej. I poczuła się podwójnie nieszczęśliwa z powodu swego złotego płaczu. Wyobraziła sobie Florencjusza, bijącego ją dla uzyskania jej łez. Próbowała myśleć o swej córce, o całym szczęściu, jakie jej dawała, chcąc sprawdzić, czy łzy nie staną się normalne. Nic z tego. Nazbyt wielki był ból Radosnej z powodu utraty Mikołaja.

Od tej chwili Radosna nie potrafiła przestać myśleć o Mikołaju choćby na minutę. I pogodziła się z tym, że będzie żyła jego wspomnieniem. Nocami spoglądała na gwiazdy i uśmiechała się smutno, myśląc o nim. I nic na to nie mogła poradzić: roniła złote łzy, z ogromnego bólu. Tak oto oddalała się coraz bardziej od Florencjusza Kciuka. Małżonek podejrzewał, że z Radosną coś się dzieje.

– Można wiedzieć, co przede mną ukrywasz?

I choć wcale tego nie chciała, zaczęła nienawidzić Florencjusza Kciuka. Nie mogła ścierpieć jego twarzy, jego ciała, jego oddechu, jego pieszczot. Nieraz myślała o tym, by zabrać córkę i uciec. Ale dokąd miałaby się udać? Co będzie z Mar Manuelą? Wiedziała, że łzy przyniosły jej jedynie nieszczęścia. Teraz przynajmniej jej córka miała dom i ojca, który jej nigdy nie uderzył. Ani Mar Manueli, ani jej. Przeciwnie, w ostatnich miesiącach Florencjusza coś naszło; błagał Radosną, by go biła, podczas gdy się kochali. Ona, naturalnie, odmawiała: groszek – proszę bardzo, ale o biciu nie ma mowy.

Nocami, upewniwszy się, że Florencjusz zasnął, Radosna wychodziła z domu i siadała przy kraterze – tam znajdowała ulgę, rozmyślając o Mikołaju. Zbierała złote łzy i zakopywała je w ogrodzie. I w ten sposób opróżniała swój zbiornik smutku aż do następnej nocy. A jeżeli znosiła to wszystko, to jedynie dla swej córki.

W ciągu trzech lat zgromadziła tysiące złotych łez. Florencjusz Kciuk nadal coś podejrzewał. Jednak mimo pogróżek niczego nie zdołał się dowiedzieć.

– Jeśli coś przede mną ukrywasz, to mnie popamiętasz.

Ze swego skarbca zabrała jedynie trzy łzy; naprawiła przeciekający dach domu. Kiedy Florencjusz ją zapytał, skąd wzięła pieniądze, miała już przygotowaną odpowiedź:

– To z pieniędzy, które zaoszczędziłam ze sprzedaży krokietów.

Zostało jej jeszcze parę reali, które zainwestowała w kupno laleczek dla swej córeczki, Mar Manueli. Czuła pokusę, by spieniężyć więcej złota, lecz tego nie zrobiła. Wiedziała, że ten drogocenny metal ma wartość nieszczęścia.

Radosna spojrzała na gwiazdy i zapytała:
– Można umrzeć z miłości?
Nie mogła przestać myśleć o Mikołaju.

W stolicy miała miejsce straszliwa zbrodnia. Znaleziono ciała dwóch pięcioletnich dziewczynek; zostały one brutalnie zgwałcone, okaleczone i zamordowane. Ów makabryczny czyn wywołał powszechne oburzenie. Nieustannie pisano o tym w gazetach, mówiono w radiu. Radosna, podobnie jak wszyscy, była wstrząśnięta. Wyobrażała sobie rozpacz matek ofiar. Ona sama nie byłaby w stanie znieść takiego bólu. Niewiele później, w rozmaitych miejscach kraju, znikło kolejne pięć dziewczynek. Od tej chwili nie pozwalała Mar Manueli bawić się samej, choć mała skończyła już siedem lat. Florencjusz Kciuk przychodził po nią do szkoły. Potem zaginęły jeszcze trzy dziewczynki. Lud domagał się sprawiedliwości. Wobec olbrzymiej presji społecznej rząd postanowił przedsięwziąć nadzwyczajne środki. Nawet wojsko brało udział w poszukiwaniu zaginionych i przeczesywało cały kraj, aby natrafić na jakiś ślad.

I tak policjanci zawitali do domu Florencjusza Kciuka. Poinformowali mieszkańców, że szukają zaginionych dziewczynek. Ujrzawszy funkcjonariuszy, Radosna ogromnie się zdenerwowała. Natychmiast pomyślała o ukrytym w ogrodzie złocie; co będzie, jeśli je znajdą? Dłonie zaczęły jej drżeć, a potem się pocić; pobladła na twarzy, więc, aby nikt niczego nie zauważył, porwała małą Mar Manuelę w ramiona i ukryła za nią twarz. Florencjusz Kciuk spojrzał na nią ze zdumieniem, nie pojmując przyczyny jej widocznego niepokoju. Policjanci najpierw przeszukali dom, a kiedy już mieli wychodzić, jeden z funkcjonariuszy popatrzył w kierunku ogrodu. Zdawało mu się, że gdzieś za krzewami widzi świeżo poruszoną ziemię. Zaczęli kopać łopatą i stało się to, co nieuniknione; znaleźli mnóstwo złotych kuleczek.

Florencjusz Kciuk rozdziawił usta, podobnie jak policjanci. W osłupieniu patrzyli na złoto; można było pomyśleć, że będzie się wyłaniać z ziemi bez końca. Florencjusz zrozumiał, że jego żona ma coś wspólnego ze znalezionym łupem. Korzystając z nieuwagi obydwojga małżonków, jeden z policjantów schował garść złotych łez do kieszeni.

Radosna chciała się przytulić do Florencjusza Kciuka, chciała wyjawić mu całą prawdę, lecz on się od niej odsunął. Czuł się tak boleśnie zraniony, że nie obdarzył jej nawet spojrzeniem. Jak mogła go tak oszukać? Policjanci, naturalnie, pomyśleli, że winny – jako mężczyzna – jest Florencjusz Kciuk. Złapali go za ręce tak szybko, że nawet nie był w stanie stawić oporu. Radosna nie miała pojęcia, co robić. Policjanci tymczasem wypytywali Florencjusza, trzymając go za kark.

– Skąd pan wziął złoto?

– Nie wiem.

– Jak to pan nie wie?

Florencjusz Kciuk spojrzał na żonę. Radosna postawiła córkę na ziemi. I podeszła bliżej, aby oznajmić:

– On nie jest winny.

Policjanci popatrzyli na nią sceptycznie. Znane były liczne przypadki, gdy żony brały na siebie winę, aby kryć swych mężów. Ona jednak upierała się:

– To ja jestem winna, ale niczego nie ukradłam.

Radosna próbowała zapłakać, aby dowieść, że jej łzy są ze złota, lecz w tym samym momencie Florencjusz Kciuk rzucił się na nią w ataku furii; chciał ją zabić, uderzył raz i drugi. Usiłowała się bronić, oddawała mu ciosy.

– Jak mogłaś tak mnie oszukiwać?

Mar Manuela podbiegła do matki, chcąc jej pomóc. Radosna i Florencjusz wymachiwali bezładnie ramionami w powietrzu. W pewnej chwili Radosna przypadkiem uderzyła córeczkę w twarz. Mar Manuela upadła na ziemię, rozpłakała się; mamusia ją uderzyła, nosek jej zaczął krwawić. Radosna pragnęła pocieszyć małą, wytrzeć krew z jej buzi, lecz jeden z policjantów ją przytrzymał. Patrzyła na Mar Manuelę, jęcząc:

– Tak mi przykro. To naprawdę niechcący.

Drugi policjant złapał Florencjusza za kark, by go uspokoić. Jednak mąż Radosnej wyglądał, jakby zmysły postradał: teraz wreszcie pojął dziwne zachowanie żony w ciągu ostatnich lat. Spoglądając na Mar Manuelę, powtarzał raz za razem:

– Twoja matka jest złodziejką, złodziejką, a poza tym cię uderzyła.

Dziewczynka zatkała sobie uszy; słowa ojczyma sprawiły jej głęboki ból: jej rodzona mamusia jest złodziejką, a w dodatku ją uderzyła. Radosna spojrzała na Florencjusza. Jak miał czelność tak mówić do małej? Krzyknęła do córki:

– Nie słuchaj go, Mar Manuelo! Ja niczego nie ukradłam, to tylko moje łzy. Moje łzy są ze złota, ze szczerego złota. A uderzyłam cię nieumyślnie. Wybacz mi.

Policjanci popatrzyli na siebie, zmieszani. Radosna upierała się, że jej łzy są ze złota. Słyszeli już najrozmaitsze historie, ale żadnej tak absurdalnej jak ta. Radosna musiała natychmiast zapłakać, aby dowieść swej niewinności. Próbowała to uczynić ze wszystkich sił, lecz wtedy poczuła, jak jeden z policjantów łapie ją za nadgarstki i zakłada jej kajdanki. Jakież upokorzenie!

– Jest pani aresztowana.

Tą, która teraz płakała, była Mar Manuela. Radosna zaczęła wrzeszczeć:

– Chcę się pożegnać z córką. Chcę tylko ją pocałować. Błagam pana!

Tak się upierała i tak się darła, że policjanci w końcu spełnili jej prośbę. Radosna podeszła do Mar Manueli. Pochyliła się, by ją ucałować.

– Idę z tymi panami, ale wrócę bardzo szybko.

A wtedy Mar Manuela spojrzała na nią z bólem.

– Powiedziałaś mi, że nigdy mnie nie zostawisz.

Florencjusz Kciuk wlepił wzrok w dziewczynkę.

– Twoja matka nie wróci bardzo długo. Opuszcza cię.

Radosna przez ułamki sekund patrzyła na Florencjusza. Jak mógł być tak podły. Potem uważnie przyjrzała się córeczce; oczy Mar Manueli pełne były bólu i wściekłości. Chciała zapłakać, lecz nie mogła. Chciała przytulić małą, lecz skuta kajdankami nie mogła nawet pogłaskać jej po buzi. Chciała ją pocałować, ale dziewczynka, przerażona i zdezorientowana tym wszystkim, co się wydarzyło, uciekła w te pędy.

Radosna próbowała biec za nią, lecz policjanci jej nie pozwolili. Żadnych pożegnań, buziaków ani innych bzdur.

Radosną zaprowadzono do więzienia Umoralniającego. W czasie drogi ze wszystkich sił próbowała płakać, ale na próżno. Zaczął ją boleć żołądek, jakoś straszliwie jej się skręcał. Nie mogła przestać myśleć o swej córeczce odrzucającej jej pocałunek. Ani o jej oczach pełnych bólu i smutku. Przysięgła Mar Manueli, że nigdy jej nie opuści. I oto ją zawiodła.

Podczas kontroli przed wejściem zmuszono ją, by się rozebrała, i obmacano od stóp do głów, aby sprawdzić, czy nie ukrywa gdzieś więcej złota, broni lub innego niebezpiecznego przedmiotu. Radosna podniosła krzyk, że jest niewinna. Wobec tak wielkiego upokorzenia już prawie udało jej się zapłakać, lecz w tym momencie poczuła cios strażniczki, tłukącej ją pałką po ustach, by ją uciszyć. Radosna osunęła się na ziemię i tam spadło na nią brutalne uderzenie, raz i drugi. Potem zabrano ją do maleńkiej celi, którą miała dzielić z kobietą olbrzymką; nazywała się ona Carmen Łaskawa, także została dopiero co aresztowana, a oskarżono ją o zabójstwo męża. Przeciwnie niż Radosna mężobójczyni czuła się szczęśliwa, pysznila się swym uczynkiem.

– Byłabym go zabiła jeszcze trzynaście razy.

Radosna przełknęła ślinę. Co robi w jednej celi z morderczynią? Ona – niezdolna do wyrządzenia komukolwiek krzywdy. Spędziła całą noc, rozmyślając o swej córeczce. Musiała wypłakać złoto, aby wykazać swą niewinność. Lecz nie mogła tego uczynić. Głęboka wściekłość nie pozwalała jej ronić łez. Tak jak wtedy, kiedy była małą dziewczynką. Jęła tłuc głową o ścianę, ale zdołała jedynie wydobyć z siebie krzyk bólu. Krew zaczęła się sączyć z jej głowy. Carmen Łaskawa doskoczyła do Radosnej, przytrzymała ją z tyłu za ramiona, w ten sposób nie dopuszczając, by się zabiła. Uśmiechnęła się na myśl o tym, jak ciekawe jest to życie: rankiem przeszyła ciosami noża swego męża, a wieczorem uratowała od śmierci nieznajomą kobietę.

Takie jest życie.

Radosna spojrzała na gwiazdy i zapytała po prostu:
– Dlaczego?

Kiedy Radosna usiłowała zasnąć, poczuła straszliwe kłucie w żołądku. Od chwili gdy znalazła się w więzieniu Umoralniającym, ani razu nie miała wypróżnienia. Wstała, targana mdłościami, i podeszła do klozetu stojącego w celi. Na górnej pryczy Carmen Łaskawa spała, rozrzuciwszy swobodnie nogi. Radosna usiadła na klozecie. Miała wrażenie, że lada chwila rozerwie jej brzuch. Po upływie godziny zdołała się wreszcie wypróżnić i poczuła się tak, jakby ktoś zdjął z niej nieznośny ciężar. Zanim pociągnęła za łańcuszek – spłuczka naturalnie nie działała – zajrzała do wnętrza muszli i stanęła jak wryta. Nie mogło być prawdą to, co widziały jej oczy. Jej kał był szczerozłoty. Ponownie zajrzała do klozetu. W wodzie lśnił przepiękny złoty ekskrement. Znów pomyślała, że nie może być prawdą to, co jej się właśnie przydarzyło. Kawałkiem papieru wyłowiła ekskrement – musiał być wart fortunę. Zaczęła płakać. Przynajmniej jej łzy były normalne. Naraz poczuła dłoń Carmen Łaskawej na swym ramieniu. Kobieta uśmiechała się do niej.

– Wysrałaś złoto?

Radosna spuściła wzrok. Carmen wyrwała jej złotą kupę i zaczęła wrzeszczeć:

– Złoto, złoto! Wysrała złoto!

Strażniczki wpakowały się do celi i znieruchomiały, zafascynowane widokiem złota. Zaczęły się śmiać i ściskać z uciechy; Radosna to istna kopalnia.

– Niech żyje złoto! Niech żyje gówno Radosnej!

Posadziły ją siłą na sedesie, by znowu się wypróżniła. Radosna, upokorzona i zdjęta smutkiem, nie protestowała. Obserwowało ją trzynaście osób; w tych warunkach nic nie można było zrobić. Jedna ze strażniczek, nie mogąc się doczekać złota, zaczęła ją policzkować.

– Srajżeż, do kurwy nędzy!

Radosną uderzono raz i drugi. W końcu strażniczki postanowiły ją przenieść do karceru, a ponieważ nadal nic nie zrobiła, uradziły, że dadzą jej jeść. Im więcej zje, tym więcej wydali. W jednym dniu wmusiły w nią trzy talerze soczewicy, cztery zupy, pięć kurczaków, dziesięć serów i litr oleju rycynowego, jako że ma działanie przeczyszczające. Wieczorem wreszcie wydaliła liczne złote ekskrementy. Strażniczki znów dały jej jeść, jeszcze więcej, ile wlezie. Każdego wieczoru wchodziły do jej celi i zbierały złote odchody. Przemocą otwierały jej usta i pakowały w nie żywność, całkiem jakby była wieprzem, którego chciałyby tuczyć, dopóki nie pęknie. Radosna darła się z bólu, z pełnymi ustami krzyczała:

– Pieniądze to gówno!

Strażniczki walczyły ze sobą o złoto. Radosna patrzyła na nie ze smutkiem. Byłyby w stanie się pozabijać dla jej łajna. Kiedy zostawała sama, siadała skulona na podłodze i płakała. Zasrane złoto, zasrane pieniądze, zasrane życie.

Radosna otwarła oczy, gwałtownie przebudzona, ociekając potem. Wszystko to było snem. Świtało. Carmen Łaskawa spała rozkosznie. Radosna dotknęła swych oczu z nadzieją, że uroni złotą łzę, która stanie się dowodem jej niewinności. Jednak jej policzek pozostawał suchy. Całe jej życie było straszliwym sennym koszmarem.

W procesie, który się odbył niebawem, Radosna została uznana za winną kradzieży. Choć nigdy nie udało się ostatecznie wyjaśnić, skąd skarb pochodzi, nikt nie miał wątpliwości, że go zagrabiono. Nawet dwa banki – jednym z nich był Bank Narodowy – przyznały, że został skradziony z ich sejfów. Obrona przedstawiła zeznania wielu sióstr zakonnych, które oświadczyły, że w rzeczy samej widziały Radosną roniącą złote łzy. Kiedy ujrzała siostry wchodzące do sali rozpraw, wzruszyła się. Lecz nie mogła zapłakać. Chciała się podnieść i uściskać siostrę Anielę, lecz strażniczki jej zabroniły. Matka Nieskończona zeznawała jako pierwsza, następnie miejsce dla świadków zajęła siostra Rzym, która naturalnie skorzystała ze sposobności, aby opowiedzieć o swej podróży do Watykanu. Siostra Drobinka jako ostatnia przedstawiała swe świadectwo.

– To były łezki maleńkie, ale twardziutkie.

Niektórzy chorzy także stanęli przed sądem, oświadczając, że Radosna udzieliła im pomocy, choć musieli przyznać, że nawet jej nie widzieli, przede wszystkim dlatego, że byli ślepcami. Prokurator jednakże wykorzystał zeznania innych mężczyzn i kobiet, którzy nie doczekali się od niej pomocy; na domiar wszystkiego oznajmili, że Radosna naigrawała się z ich nieszczęść. Był wśród nich Indianin Józek Bum-Bum, który nadal miał sztywne ramiona i swym zeznaniem mógł się przynajmniej zemścić na dziewczynie. A ten się śmieje, kto się śmieje ostatni: teraz to on się śmiał, powtarzając raz za razem, że Radosna jest oszustką. Wymiar sprawiedliwości, naturalnie, postanowił nie dać wiary zakonnicom. Cudów nie ma. Koniec końców skazano Radosną na dwadzieścia lat więzienia. Kiedy usłyszała wyrok, o mały włos nie zemdlała: strażniczki musiały ją podtrzymać, żeby nie upadła. Gdy wróciła do celi, Carmen Łaskawa, mężobójczyni, wrzeszczała zrozpaczona:

– Chcę stąd wyjść!

Euforia, jaką okazywała w dniu poznania Radosnej, przekształciła się w rozpacz. Teraz wiedziała, że prawdopodobnie zostanie skazana na śmierć, a ona chciała żyć. Radosna położyła się na pryczy i zaczęła jęczeć, nic tylko jęczeć. Co za zasrane życie!

Florencjusz Kciuk nie pojawił się na procesie i nie chciał jej już więcej widzieć. Radosna wysłała do niego mnóstwo listów, w których usiłowała wyznać mu prawdę i błagała o pomoc. Prosiła go także, by przyprowadził do niej córkę, lecz jedyną odpowiedzią na jej prośby było milczenie. Wobec braku jakichkolwiek wiadomości o zaginionych dziewczynkach prasa i radio nadały szeroki rozgłos sprawie kradzieży złotego skarbu i procesowi, który nazwały procesem złotych łez. Dom Florencjusza Kciuka został wielokrotnie ograbiony: niejeden widocznie pomyślał, że być może policja nie odnalazła całego złota. Florencjusz stracił pracę. Właściciel baru, pod naciskiem opinii publicznej, nie miał innego wyjścia, jak go zwolnić, nikt bowiem nie chciał być obsługiwany przez męża złodziejki. Próbował znaleźć inną pracę, lecz wszyscy odwracali się do niego plecami, i wolałby doprawdy być głuchy, by nie słyszeć ich niewybrednych komentarzy. Bardzo szybko Florencjusz Kciuk został bez grosza. Nie miał nawet na jedzenie dla siebie. A tym bardziej dla małej. Postanowił pozbyć się Mar Manueli. W końcu nie była jego córką. Od kiedy jej matka znalazła się w więzieniu, dziewczynka spędzała całe dnie skulona na podłodze, szlochając i krzycząc, a głosik miała naprawdę ostry i nie do zniesienia.

Zaprowadził Mar Manuelę do sierocińca pod wezwaniem świętej Justy i tam ją zostawił. Zamierzał przenieść się do stolicy. Zapuścił brodę, aby nikt go nie rozpoznał, ale z taką twarzą niewiele mógł zdziałać. Szczęściem dla niego w tym samym czasie zatrzymano sprawców zbrodni dokonanych na dziewczynkach. Od tej chwili przypadek Radosnej przestał kogokolwiek interesować i Florencjusz Kciuk mógł rozpocząć nowe życie. I co za szczęście, że miał groszek i fotografię aktorki Mary Moralnej – stały się dla niego prawdziwą pociechą.

List Florencjusza Kciuka, w którym oznajmiał lodowato, że nie ma innego wyjścia, jak oddać Mar Manuelę do sierocińca, rozdarł serce Radosnej, którą wszyscy już znali jako więźniarkę od złotych łez. Cierpiała niezliczone upokorzenia ze strony innych więźniarek – nękały ją nieustannie, żeby raz wreszcie zapłakała złotem, do kurwy nędzy. Pech chciał, że Carmen Łaskawa właśnie w tym czasie została skazana na śmierć. Była jedyną osobą, która stawała w obronie Radosnej, a jej potężna sylwetka budziła wielki respekt reszty więźniarek. Żywiła ogromną wdzięczność dla Radosnej, gdyż ta podczas posiłków zawsze jej oddawała swe jedzenie. Lecz wkrótce miano Carmen zabrać, by wykonać na niej wyrok śmierci. Ostatnią wolą Carmen było, aby jej podać obfitą wieczerzę. Zjadła mniej więcej trzy porcje, pożarła także kolację Radosnej. Kiedy założono jej stryczek na szyję, Carmen Łaskawa uśmiechnęła się, myśląc, że życie doprawdy jest bardzo ciekawe: oto właśnie ma umrzeć, a tak strasznie chce jej się śmiać. I tak odeszła na tamten świat, z pełnym żołądkiem i uśmiechem na ustach.

Od tamtego dnia więźniarki nie dawały Radosnej nawet odetchnąć. Podstawiały jej nogi, tłukły ją kijem, robiły jej w środku zimy prysznic z lodowatej wody. Śmierć Carmen Łaskawej zbiegła się ponadto z przyjściem do więzienia Rózi Bum-Bum, siostrzenicy Indianina Józka Bum-Bum. W imieniu swego wuja torturowała ona Radosną w sposób najbardziej okrutny. Kazała jej się rozbierać i upokarzała, jak tylko mogła. Związawszy ją, drapała całe jej ciało swymi długimi paznokciami. Wrzaski Radosnej były jej jedyną bronią; strażniczki przychodziły jej z pomocą właściwie tylko po to, by ją uciszyć. Nawet noc nie przynosiła ulgi: śniło jej się, że wydala złoto, i wtedy pojawiali się Romancjusz Cierpliwy, Anastazja, Flora Dzwonnica i Robert Kalafior, walczący o jej ekskrementy. Wspólnymi siłami otwierali jej usta i zmuszali do jedzenia, by więcej wydaliła.

Jej zainteresowanie życiem powoli zanikało, bolało ją serce, żołądek aż się wywracał, była coraz słabsza. Schudła ponad dziesięć kilo, nogi odmawiały jej posłuszeństwa. Serce mówiło Radosnej, że zostało jej już niewiele życia. Czuła się jak siostra Dziewięć Milionów Trzysta Tysięcy. Już tylko śmierci oczekiwała. Jedyną pociechą było dla niej to, że przy odrobinie szczęścia będzie mogła się połączyć z matką. Nawet kary, jakie zbierała z powodu swej bierności, nie pobudzały jej do reakcji. Kiedy nadchodziła jej kolejka sprzątania w kuchni lub zbierania naczyń w stołówce, robiła to tak wolno, że zawsze w końcu dostawała reprymendę. O północy budziła się i zaczynała wywrzaskiwać imię swej córki tak głośno, że zrywała na nogi całe więzienie. To jedynie przynosiło jej ulgę w bólu. Więźniarki, wściekłe, tłukły bez opamiętania w sztaby na drzwiach swych cel, chcąc ją uciszyć; z jej winy nieraz o mały włos, a doszłoby do rozruchów. Strażniczkom nie udawało się uciszyć jej wrzasków i jedynym wyjściem okazało się zamknięcie jej w karcerze, całkowicie odizolowanej; na szczęście dla wszystkich jej głos stamtąd nie docierał. Jednakże to tam właśnie czuła się najlepiej, pomimo nieludzkiego zimna przenikającego jej kości. Zamykała oczy i wyobrażała sobie, że przychodzi po nią matka i daje jej swe ciepło, i toną obie w cudownym uścisku.

Radosna spojrzała na gwiazdy, lecz o nic już ich nie pytała. Ze swej celi mogła zobaczyć jedynie maleńki skrawek nieba.

Radosna, zaskoczona, udała się do rozmównicy. Po raz pierwszy ktoś ją odwiedzał. Wówczas go ujrzała. Mikołaj Delfin siedział za kratą, piękniejszy niż kiedykolwiek: włosy jego wyglądały jak przyprószone śniegiem, siwizna nadawała mu wyraz dojrzałości i pogody. On zapewne nie pomyślał tego samego o niej. Radosna była mizerna, miała brudne i zmierzwione włosy, bardzo schudła, nawet jej piersi przestały być górami, nie były nawet pagórkami. Wyglądały jak dwa kopczyki, a i to już zbyt wiele powiedziane.

Mikołaj Delfin spojrzał na nią z czułością. Nie zważał na jej wygląd; nigdy nie ustałby w miłowaniu Radosnej. Jej oczy znów lśniły. Ich wyraz nie miał nic wspólnego z zimnym i dalekim spojrzeniem owej nocy, gdy się widzieli po raz ostatni. Patrzyli na siebie przez kilka sekund. Mimo że rozdzielała ich krata, Mikołaj poczuł, jak bardzo są sobie bliscy. Radosna przemówiła do niego urywanym głosem:

– Zostało mi już niewiele życia. Niedługo umrę.

Mikołaj przysunął się bliżej do kraty.

– Nie mów tak, wyzdrowiejesz.

Radosna uśmiechnęła się słabiutko.

– Mamy wspaniałą córeczkę.

– Wiem, sklepikarka mi powiedziała.

– Jest bardzo do ciebie podobna. Jej oczy mają kolor morza.

Mikołaj wyznał Radosnej, że postanowił uciec na koniec świata po ich spotkaniu w klasztorze. Jednak nawet i tam nie zdołał o niej zapomnieć. Pracował w kuchni na kutrze rybackim, aż został zwolniony, gdyż spędzał całe noce na pokładzie, wpatrując się w gwiazdy. Po powrocie udał się do Nostalgii: sklepikarka opowiedziała mu o wszystkim, co zaszło, o małej Mar Manueli, o procesie.

– Powiedzieli ci, że moje łzy są złote?

Odpowiedź Mikołaja była zdecydowana.

– Jest mi całkiem obojętne, czym płaczesz. Chcę tylko cię kochać.

Radosna, szczęśliwa, że widzi go takim jak zawsze, znowu się do niego uśmiechnęła.

– Zaopiekujesz się Mar Manuelą, zrobisz to, prawda?

Mikołaj przytaknął.

– Pojadę po naszą córeczkę do sierocińca. Następnym razem przyjdę z nią.

Radosna położyła dłoń na kracie. Nareszcie będzie mogła mu powiedzieć, że go kocha.

– Kocham cię, Mikołaju.

– Ja też cię kocham.

Radosna wetknęła palec do otworu metalowej kraty. Mikołaj uczynił to samo. Palce zbliżyły się do siebie niczym magnesy. Musnęły się ich opuszki i Mikołaj poczuł iskrę. Cudowną iskrę.

Była niedziela i mogli pójść do celi miłości, zarezerwowanej dla małżeństw i narzeczonych. Strażniczka oddała tę przysługę Radosnej pod warunkiem, że przestanie wrzeszczeć po nocach. Utonęli w pełnym miłości uścisku, nieskończenie krótkim. Obecność Mikołaja wróciła Radosnej życie. Tym razem to ona go rozebrała. Najpierw oczyma, wyobrażając sobie jego pierś, jego męskość. Potem rękami: zdjęła mu koszulę i spodnie. Dłonie Radosnej pieściły jego nogi i coś dużo lepszego: to, co między nogami. Zamknęła oczy; nigdy dotąd czegoś takiego nie czuła. Cudownie było się z nim kochać – tym razem tak – czuć jego napiętą i delikatną skórę, jego usta, uszy, jego tors, całe ciało. Nawet sutki Mikołaja wydały jej się fascynujące. Radosna przebiegła po nich dłońmi: były duże, wyglądały jak dwa małe pagórki. Mikołaj jęczał, podniecony, gdy pieściła całe jego ciało. A ona krzyczała ze szczęścia, aż strażniczki musiały ją upomnieć. I przypomniała sobie krzyki swej matki, kiedy ta kochała się z ojcem. Podobne były do jej własnych. I wątpliwość zalała jej umysł: ona, która zawsze myślała, że jej matka tak strasznie cierpi, być może była w błędzie, i Manuela w rzeczywistości przeżywała rozkosz. A nuż jej ojciec nie był tak okropny, jak sądziła.

Mikołaj nawet na chwilę nie oderwał wzroku od twarzy Radosnej. Jej oczy, pełne światła, zaszkliły się łzami. Była ogromnie szczęśliwa, pomimo ukłucia, jakie poczuła w sercu, gdy Mikołaj padł na nią całym ciężarem. Lśniące oczy Radosnej odzwierciedlały jej szczęście. Wtedy właśnie po jej policzku zaczęła spływać łza ze słonej wody. Mikołaj patrzył na nią, osłupiały. Po raz pierwszy widział ją płaczącą.

– Już mogę umrzeć.

– Dlaczego?

– Bo widziałem, jak płaczesz.

Radosna poderwała się z miejsca. Chciała zatrzymać łzę palcem, ale nie zdążyła. Mikołaj już ją zlizał. Radosna pojęła, że uroniła łzę szczęścia, słoną jak morze. I poczuła się najnieszczęśliwszą kobietą na świecie. Jako osoba szczęśliwa nigdy nie będzie mogła dowieść swej niewinności. Pomyślała o Mar Manueli, zamkniętej w sierocińcu: jaki los czeka córkę więźniarki? Potem popatrzyła na Mikołaja. Teraz, kiedy mogła go kochać, czas jej dobiegał końca. Mogła była przeżyć z nim i Mar Manuelą tak cudowne życie. Ale było już za późno, znów ją bolało całe ciało, żołądek, a przede wszystkim serce. Wówczas Mikołaj zaczął kaszleć, czymś się zakrztusił. I nagle wypluł łzę, którą parę chwil wcześniej zlizał z policzka Radosnej. Lecz łza owa już nie była ze słonej wody. Przekształciła się w łzę ze złota, łzę bólu. Radosna porwała ją i popatrzyła na nią z uśmiechem pełnym słodyczy. Błogosławione nieszczęście. Nareszcie będzie mogła udowodnić swą niewinność.

Trzy dni później sędzia polecił ją zwolnić. Z więzienia dostarczono mu dowód: cztery policyjne samochody eskortowały zaplombowaną ciężarówkę ze złotą łzą do gmachu sądu. Naturalnie transport maleńkiej łezki wywołał wielkie niezadowolenie obywateli; koniec końców to oni płacili podatki. Złoto dowiodło niewinności Radosnej. Sprawę zamknięto.

Mikołaj czekał na Radosną przed bramą więzienia. Dwaj strażnicy musieli ją odprowadzić aż do drzwi, bo ledwo się trzymała na nogach. Mar Manueli nie było z Mikołajem.

– Gdzie nasza córka?

Twarz Mikołaja posmutniała.

– Muszę ci coś powiedzieć.

I wyjaśnił jej, dlaczego nie mógł zaopiekować się córką. Mar Manuelę miała właśnie zaadoptować zamożna rodzina ze stolicy. Jakież ciekawe jest życie – kiedy Anastazja usiłowała znaleźć Radosnej rodzinę, nikt jej nie chciał: ciemnookich dzieci było zatrzęsienie. Natomiast te o błękitnych oczach, jak Mar Manuela, były bardzo poszukiwane. Mikołaj Delfin nic nie mógł swej córce ofiarować. Sierociniec nie pozwoli jej zabrać, jeśli nie wykaże, że ma pracę. Lub majątek. Mikołaj nic nie miał, szukał pracy po całym mieście, lecz bez rezultatu.

– To bardzo trudne czasy. Przykro mi. Ale, jeśli to konieczne, będę kradł.

Radosna spojrzała na niego z czułością. Wiedziała, że byłby niezdolny do kradzieży. A ona, przy odrobinie szczęścia, zanim umrze, mogłaby uronić wystarczająco dużo złotych łez, aby Mikołaj mógł wydostać Mar Manuelę z przytułku. Radosna popatrzyła dookoła i zdało jej się, że dwóch mężczyzn ją śledzi.

– Musimy uciec gdzieś daleko. Bardzo szybko rozejdzie się wieść o moim złocie i zaczną się kłopoty.

Przed ucieczką powiedziała Mikołajowi, że pragnie zobaczyć córeczkę. Poszli do sierocińca świętej Justy. Radosna nie chciała, żeby Mar Manuela ją zauważyła. Nie chciała, aby małej pozostało wspomnienie umierającej matki. Nie chciała jej bardziej skrzywdzić. Patrzyła na nią z daleka – dziewczynka bawiła się na patio z innymi dziećmi: urosła parę centymetrów i troszeczkę przytyła. Miała zaróżowione policzki, tryskała wprost życiem. Radosna musiała czynić nadludzkie wysiłki, by nie podbiec do niej i jej nie ucałować. I wypłakała pięć szczerozłotych łez, z ogromnego bólu. Mikołaj otoczył ją ramionami. Zanim odeszła, Radosna przyłożyła dłoń do ust i przesłała córeczce buziaka.

Poszli na Ukrytą Plażę, miejsce naprawdę trudno dostępne. Była to dzika plaża, otoczona skałami, praktycznie odcięta od reszty świata, wyjąwszy wąską piaszczystą ścieżynkę, wiodącą na sam brzeg. Radosna była wyczerpana podróżą. Mikołaj musiał nieść ją na rękach przez ostatni odcinek drogi. Ułożył ją na brzegu. Radosna spojrzała na błękitne morze i uśmiechnęła się słabiutko.

Umrze blisko morza.

Mikołaj przytulił się do niej. Kochali się na piasku i było cudownie. Radosna poczuła straszliwie bolesne ukłucie w sercu, lecz mimo to uśmiechnęła się. Uroniła kolejną złotą łzę. Tak upłynęło wiele dni; nic innego nie robili, tylko się kochali. Nadrabiali stracony czas. Za każdym razem, gdy się kochali, Radosna roniła złotą łzę. Przez tydzień wypłakała czterdzieści trzy złote kropelki.

Tulili się niezmordowanie do siebie, spali objęci ciasno ramionami – z rozgwieżdżonym niebem jako dachem, z muzyką morskich fal. Radosna czuła się coraz słabsza. Za każdym razem, kiedy się kochali, ukłucia w sercu były coraz ostrzejsze. Poruszała się z największą trudnością, była tak słaba, że prawie nie mogła ucałować Mikołaja. Lecz nie przeszkadzało jej to, dopóki potrafiła uronić wystarczająco dużo złotych łez, by Mikołaj mógł odzyskać córkę.

– Kochaj mnie, Mikołaju.

Kiedy Mikołaj poruszał się nad nią, Radosna uśmiechała się, myśląc, że oto umrze z miłości. To najlepsze, co mogło ją spotkać. Wiedziała, że jej złote łzy jedynie ściągną nieszczęście na Mikołaja i jej córkę. Ponadto lepiej umrzeć z miłości niż na dżumę, malarię, włośnicę lub jakąś chorobę zakaźną.

Resztką sił gładziła twarz Mikołaja.

– Będziesz wspaniałym ojcem.

– Nie mów tak, wyzdrowiejesz.

Radosna kazała mu przysiąc, że pieniądze, jakie otrzyma za złoto, zdeponuje w banku i powierzy zarządzanie nimi komuś, kto ma więcej zdrowego rozsądku niż on. Kazała mu również przysiąc, że kupi sobie mały domek, z pokojem, w którym Mar Manuela będzie mogła się bawić. I że będzie się uczyła w gimnazjum i – czemuż by nie? – pójdzie potem na uniwersytet.

– Musisz mi przysiąc, że będziesz się opiekował naszą córką, kiedy mnie już tu nie będzie.

Jej ostatnia prośba wiązała się z wiecznością.

– Pochowaj mnie w Nostalgii, obok mej matki. Pragnę spocząć u jej boku.

Mikołaj ją całował.

– Nie pozwolę ci umrzeć. Zabiorę cię do lekarza.

Radosna uśmiechała się.

– Dziś czuję się nieco lepiej. Pójdziemy jutro. Kochaj mnie raz jeszcze.

Lecz nazajutrz mówiła to samo:

– Dziś czuję się nieco lepiej. Pójdziemy jutro. Kochaj mnie.

Mikołaj nie mógł już dłużej wytrzymać. Zakopał wszyściutkie złote łzy w piasku, okrył Radosną kocem i ucałował ją.

Zasnęła.

Mimo to powiedział do niej:

– Nie będę dłużej czekał. Sprowadzę lekarza.

Pędem opuścił plażę. Pędem dotarł do lichwiarza i wymienił trzy złote łzy na pieniądze. Pędem dotarł do ośrodka zdrowia. Dysząc, wbiegł po schodach i wpadł do gabinetu lekarzy. Gdy zapłacisz, i święty Piotr zaśpiewa; kiedy pokazał pieniądze, natychmiast obdarzono go uwagą.

– Moja żona jest bardzo chora, potrzebuję pomocy.

Łzy w oczach jej zabłysły,
Krasne jej lica zrosiły.
Gdy wszystkie się wdzięczyły,

Zazdrości widziałem cień:
Czyż dłużej wątpić mam?
Kocha, ach, kocha mię,
Wyraźnie widzę sam.
Słyszeć jej serce bijące,
Z nią dzielić uczucia wrzące,
Tchnienie z jej tchnieniem złączyć.
Ach... Wiecznością niech będzie ten dzień!
Nieba! Gdy śmierć ponieść mam,
Taką tylko niechaj znam.

Piętnaście godzin później Mikołaj był z powrotem na plaży. Towarzyszył mu lekarz. Było już jednak za późno. Fale morza biły rytmicznie o brzeg. Radosna miała uśmiech na twarzy, a w oczach jej lśniła sekretna łza. Łza tak słona i słodka jak ta, którą uroniła w dniu, kiedy na świat przyszła jej córka. Radosna umarła. Lekarz to potwierdził, a potem poszedł sobie. Mikołaj przytulił Radosną do siebie, ucałował ją raz i drugi. Kochał ją, kochał głęboką miłością od pierwszego dnia, gdy ją ujrzał. Cały dzień i całą noc leżał przytulony do niej, płacząc. Kiedy świtało, Mikołaj wstał i wykopał złote łzy. Uśmiechnął się. Radosna osiągnęła to, czego pragnęła: łez było aż nadto, by mógł odzyskać córkę. Mógł nawet kupić sobie dom. I przysiągł na swych przodków, a przede wszystkim na duszę Radosnej, że będzie wspaniałym ojcem. Ponownie ułożył się obok niej. Ucałował ją. Z płaczem. Gdy noc zapadła, spojrzał na gwiazdy i zapytał:

– Jest tam w górze jakaś książka zażaleń?

Wówczas ujrzał dwóch zbliżających się do niego mężczyzn. Byli uzbrojeni i mieli zamaskowane twarze. Mikołaj usiłował ukryć złoto, lecz nie zdążył. Jeden z mężczyzn trzymał go na muszce, podczas gdy drugi pakował złote łzy do worka. Mikołaj błagał go o litość.

– Potrzebne mi to złoto, żeby odzyskać córkę.

Rzucił się na tego z pistoletem i mało brakowało, a zostałby postrzelony. Mikołaj Delfin otrzymał dwa uderzenia i upadł na ziemię. Mężczyźni zrabowali złote łzy. Mikołaj poczołgał się po piasku, by być bliżej Radosnej. Teraz to on, przytulony do zmarłej, wrzeszczał i szlochał z wściekłości. Cały wysiłek jego ukochanej poszedł na marne. Umarła na próżno. Jedyną pociechą była mu myśl, że Radosna – teraz, kiedy już odeszła – nigdy się nie dowie, co zaszło.

Bo doprawdy jeszcze tylko tego brakowałoby do szczęścia biednej Radosnej.

Radosna spojrzała na gwiazdy i zapytała:
– Zaprosicie mnie na śniadanie?
Były to ostatnie słowa, jakie wypowiedziała Radosna parę chwil przed śmiercią. Właśnie świtało; z powodzeniem zatem przybędzie na czas, by zjeść z nimi śniadanie.

Mikołaj Delfin nie mógł wypełnić ostatniej woli Radosnej. Trumna i podróż pociągiem do Nostalgii, aby ją pochować obok matki, kosztowały fortunę. Nie miał innego wyjścia jak kremacja: publiczne krematorium oferowało tę usługę tym, którzy nie mieli środków na pochowanie swych najbliższych. Mikołaj bardzo się wzruszył, widząc, jak trumna znika pośród płomieni. Po krótkim czasie wręczono mu niewielką drewnianą szkatułkę z prochami. Nie mógł nawet nabyć urny w kształcie pucharu, aby w niej złożyć Radosną. Przez parę chwil myślał, że mógłby zrobić to samo, co uczyniła jego matka z prochami ojca. Zabrałby je do domu, żył ze wspomnieniem Radosnej i miłował jej popioły. Ale nawet nie miał domu. Wziął do ręki szkatułkę z pewnym wahaniem – nie jest przyjemnie, jak człowiekowi oddają jego ukochaną obróconą w popiół. Lecz tym, co go najbardziej zdumiało, był ciężar skrzyneczki. To samo wrażenie musiał odnieść pracownik krematorium, który nie mógł ukryć uśmiechu, gdy mu ją wręczał.

– Twoja kobita była nieco grubaśna, co nie?

Mikołaj udał się w kierunku Ukrytej Plaży, chciał przypomnieć sobie ostatnie chwile, jakie przeżył z Radosną. W drodze nie był w stanie przestać myśleć o złodziejach, którzy ukradli mu złoto. Skurwysyny. Łajdaki. Wyskrobki. Teraz już nie będzie mógł odzyskać Mar Manueli. Palcem wskazującym pogładził skrzyneczkę z prochami, a kiedy to czynił, wydało mu się, że przebiegło ją drżenie, lecz przypisał to gwałtowności swego ruchu. Wspiął się na sam szczyt urwiska. Usiadł twarzą do morza i całymi godzinami gładził szkatułkę, przypominając sobie zdanie, które zawsze powtarzał Radosnej:

– Jesteś jak zamknięta szkatułka. Któregoś dnia ją otworzysz?

Teraz Mikołaj Delfin miał w dłoniach zamkniętą szkatułkę, i teraz naturalnie mógł ją otworzyć, choć było już za późno. Radosna odeszła na zawsze.

Zmierzchało, gdy uchylił wreszcie wieczko skrzynki. Dokładnie w tym momencie zerwał się silny wiatr. Mikołaj otworzył usta ze zdumienia, podziwiając zawartość szkatułki: nie było w niej szarych popiołów, tylko złociste. Podmuch wiatru sprawił, że część złotego proszku wydostała się w mgnieniu oka ze skrzynki. Osłupiały Mikołaj patrzył, jak miliony złocistych cząsteczek wyfrunęły do nieba. Miały w sobie jakby własne światło, zdawały się maleńkimi gwiazdkami, rozświetlającymi noc. Potem spojrzał na złoto, które zostało w szkatułce, i uśmiechnął się: ważyło przynajmniej ze trzy lub cztery kilo. Na plaży rybacy z otwartymi ustami wyciągali ręce ku niebu. Wszyscy podziwiali niebiańskie złoto. Złoty pył utrzymywał się przez wiele godzin w powietrzu, po czym opadł do morza.

Epilog

Mikołaj Delfin poszedł sprzedać prochy Radosnej, za które otrzymał ponad sto tysięcy reali. Teraz już mógł udać się do sierocińca i po okazaniu pieniędzy odebrać swą córkę, Mar Manuelę. Kiedy ją zobaczył z bliska, ogarnęło go wzruszenie. Choć błękitnooka, była bardzo podobna do Radosnej. Porwał ją w ramiona i ucałował. Dziewczynka poczuła się zakłopotana. W wieku dziewięciu lat poznać swego ojca – to musi być traumatyczne przeżycie. Tego wieczoru, kiedy szli na stację, ujrzeli ogromny meteoryt spadający z nieba. Mar Manuela, przerażona, złapała ojca za rękę.

– Co to było, to, co spadło z nieba?

Mikołaj spojrzał na nią z czułością.

– To łza Księżyca.

Mar Manuela popatrzyła na swego rodziciela ze zdumieniem.

– Księżyc płacze?

– Tak.

– A dlaczego?

– Jest smutny, bo twoja mamusia odeszła.

Mikołaj Delfin nareszcie mógł zarabiać na życie, opowiadając historię o kobiecie od złotych łez. I szło mu całkiem nieźle.

Chodził od wioski do wioski, razem z Mar Manuelą. Nie żeby od razu zdobył majątek, ale przynajmniej mogli żyć godnie. Mar Manuela – jako że podróżowała cały czas z ojcem – nigdy nie poszła do szkoły i nie miała też swego pokoju, w którym mogłaby się bawić. A mimo to dzieciństwo jej było szczęśliwe. Z tego, co wiadomo, wypłakała mnóstwo łez, ale żadnej złotej. Choć nigdy nikomu tego nie wyjawił, Mikołaj nie sprzedał wszystkich prochów Radosnej. Zostawił sobie niewielką garstkę, by móc w ten sposób żyć jej wspomnieniem. Nosił je w maleńkiej szkatułce, którą trzymał zawsze w kieszeni spodni.

Naturalnie sklepikarka i Inez Maria miały rację: w miarę jak płynęły lata, Mar Manuela stawała się coraz bardziej podobna do Anastazji. Szczęściem dla świata, podobieństwo ograniczało się do wyglądu. Jedynie do wyglądu.

KONIEC

Książka ta została ukończona w dniu 13 grudnia 1998 roku, o godzinie 13, 13 minut i 13 sekund.

Making of

Jak powstała ta książka

1. NARZĘDZIA, JAKICH UŻYTO PRZY PISANIU TEJ KSIĄŻKI

- pióro marki Montblanc, model Aleksander Dumas
- ołówek Montblanc
- pióro kulkowe niebieskie Edding
- pióro kulkowe czerwone Edding
- macintosh Performa 630
- powerbook Macintosh
- drukarka StyleWriter 2500
- papier marki Canon
- ołówek HB

Inne:

- aspiryna
- setki filiżanek kawy
- dormidina
- chusteczki

2. ŚCIEŻKA DŹWIĘKOWA

Podczas pisania tej książki towarzyszyły mi:

- *50 años* Amalii Rodrigues,
- *Napój miłosny* Gaetana Donizettiego (zawiera *Sekretną łzę*)
- ścieżka dźwiękowa z *Kelnerki z Titanica* Alberta Iglesiasa
- *Nabucco* i *Siła przeznaczenia* Giuseppe Verdiego
- *Łzy* Dulce Pontesa (w tym: fado *Łza*)
- Narodowe Radio Hiszpańskie, Radio 2 i Radio 3
- Radio RAC 105

3. JAK NARODZIŁ SIĘ POMYSŁ TEJ KSIĄŻKI

Kilka lat temu dostałam w prezencie złoty wisiorek w kształcie łzy. Kiedy przyszłam do domu, położyłam go na kolorowym czasopiśmie. Na okładce była fotografia kobiety. Przypadkowo wisiorek znalazł się na jej policzku. Strasznie mi się spodobał ten obraz. Zdawało się, że owa kobieta roni złotą łzę. Od tej chwili zaczęłam sobie wyobrażać całą historię.

4. KIEROWNICTWO ARTYSTYCZNE

Wpływ na tę książkę – mam nadzieję – wywarli:

- Edward Munch
- neorealizm włoski
- Ignacio Zuloaga
- *Kaprysy* Francisca de Goi

- Joaquín Torres García
- Enrique Jardiel Poncela
- August Macke
- Paul Klee

5. LOKALIZACJA

Miejsca, w których powstawała książka:
- Barcelona (80%)
- Lizbona (10%)
- Madryt (5%)
- Gijón (4%)
- most powietrzny Barcelona–Madryt* (1%)

6. INNE CIEKAWOSTKI

Liczba złotych łez wypłakanych przez Radosną:

podczas dzieciństwa	0
W dniu śmierci rodziców	10
W dniu śmierci babki	25
W Złodziejskim Miasteczku	180
W Horązufce Cyrólika	175
W Wonnym Mieście	20 324
W klasztorze	25 760
W Tornado	32 656
W więzieniu	1
Na Ukrytej Plaży	43
RAZEM	79 174

* Podczas zdarzających się niekiedy opóźnień samolotów Iberii.

Przepis Manueli na krokiety z mięsa (na cztery osoby):

Składniki:
400 gramów ~~wieprzowiny~~ mięsa kurczaka
150 gramów mąki
150 gramów masła
litr mleka
2 jajka
sól
oliwa
tarta bułka

Trzeba rozpuścić masło i wymieszać je dokładnie z mąką, aż powstanie jednolita masa. Dodać mleko, podgrzewać na małym ogniu, ciągle mieszając, do otrzymania beszamelu. Upiec mięso i posiekać lub zemleć. Dodać do beszamelu i wymieszać wszystko aż do uzyskania gładkiej masy. Posolić, odstawić do wystygnięcia. Kiedy wystygnie, uformować krokiety. Obtoczyć je w jajku i tartej bułce. Usmażyć na gorącym oleju i odsączyć nadmiar tłuszczu.

Liczba liter zawartych w książce:

Litera A:	20 520
Litera Ą:	2258
Litera B:	3195
Litera C:	7377
Litera Ć:	1446
Litera D:	6908
Litera E:	14 509
Litera Ę:	3154
Litera F:	331
Litera G:	2361
Litera H:	1359
Litera I:	16 064
Litera Í:	2
Litera J:	5448
Litera K:	6189
Litera L:	3299
Litera Ł:	7380
Litera M:	5574
Litera N:	9987
Litera Ń:	273
Litera Ñ:	1
Litera O:	14 135

Litera Ó:	1374
Litera P:	5219
Litera Q:	2
Litera R:	7841
Litera S:	8144
Litera Ś:	1488
Litera T:	6130
Litera U:	4270
Litera V:	2
Litera W:	7115
Litera X:	0
Litera Y:	7158
Litera Z:	11 931
Litera Ź:	115
Litera Ż:	2193
Razem:	194 752

7. HISTORYJKA OBRAZKOWA

Portret Radosnej
z jej imienia

M
i
K
O
Ł
aj

Portret
Mikołaja
na stojąco

Płaczące słowo „Łezki”

Twarz zrobiona
ze słowa „płakać”

Spis treści

Książkę wydrukowano
na papierze Vega Bouffant 1.8 70 g/m²
dostarczonym przez firmę Panta

Panta Sp. z o.o.
91-202 Łódź, ul. Warecka 3A
tel. (0-42) 650 92 00, fax (0-42) 650 92 12
www.panta.com.pl
e-mail: info@panta.com.pl

Warszawskie Wydawnictwo Literackie
MUZA SA
ul. Marszałkowska 8, 00-590 Warszawa
tel. (0-22) 827 77 21, 629 54 24
e-mail: info@muza.com.pl

Dział zamówień: (0-22) 628 63 60, 629 32 01
Księgarnia internetowa: www.muza.com.pl

Warszawa 2004
Wydanie I

Skład i łamanie: MAGRAF s.c., Bydgoszcz
Druk i oprawa: ABEDIK, Poznań